HTML

Schnellanleitung

HTML

Johann-Christian Hanke

DATA BECKER

Copyright © 2000 by DATA BECKER GmbH & Co. KG
Merowingerstr. 30
40223 Düsseldorf

1. Auflage 2000

Reihenkonzeption Silvia Dreger

Lektorat Silvia Dreger

Umschlaggestaltung Inhouse-Agentur DATA BECKER

Textbearbeitung und Gestaltung Astrid Stähr

Druck Media-Print, Paderborn

E-Mail buch@databecker.de

ISBN 3-8158-2110-X

Wichtiger Hinweis

Inhaltsverzeichnis

Sonderzeichen	Kodierung
ä	ä
Ä	Ä
ö	ö
Ö	Ö
ü	ü
Ü	Ü
ß	ß
<	<
>	>
&	&
"	"
' (Apostroph)	'

Da bin ich – Die erste Seite in XHTML

Sie möchten HTML bzw. XHTML lernen ohne viel Stress? Die eigene Homepage soll es sein? Kein Problem! Herzlich willkommen bei unserer SchnellAnleitung! Erstellen Sie in Windeseile attraktive Webseiten. Arbeiten Sie mit Überschriften, Absätzen und Linien. Fügen Sie Grafiken und Sounddateien in Ihre Seiten ein. Verbinden Sie Ihre Dokumente durch Hyperlinks, die Querverweise fürs World Wide Web. Nutzen Sie die praktischen Style Sheets, die Formatvorlagen für (X)HTML. Erzeugen Sie gerahmte Seiten mit Frames, schreiben Sie nützliche Bestell- oder Feedback-Formulare.

Ohne viel Ballast gelangen Sie Schritt für Schritt ans Ziel. Erstellen Sie Ihre HTML-Dokumente von vornherein per Hand. Die einzelnen Kapitel sind beispielorientiert. Machen Sie einfach mit, es ist einfacher, als Sie denken! Aber wir gehen noch einen Schritt weiter: Binden Sie Lauftext, Pulldown-Menüs und dynamische Schaltflächen in Ihre Seiten ein. Erfahren Sie, wie Sie Ihre Website auf den Server laden und bei den Suchmaschinen anmelden.

Info

HTML oder XHTML?

HTML steht als Abkürzung für **H**yper**T**ext **M**arkup **L**anguage, Sprache zur Auszeichnung von Hypertext. Es ist eine logische Sprache zur Dokumentbeschreibung. HTML „beschreibt" mithilfe der so genannten Tags, wo eine Überschrift, ein Absatz, eine Aufzählung oder eine Linie angezeigt werden soll. Der Browser interpretiert diese Anweisungen. HTML wurde Anfang der 90er Jahre vom Schweizer Informatiker Tim Berners-Lee entwickelt und liegt nunmehr in der Version 4 vor. XHTML wiederum ist nichts weiter als die neue, weiterentwickelte Version von HTML, die e**X**tended **H**yper**T**ext **M**arkup **L**anguage. Vom Prinzip her sind HTML und XHTML fast gleich. XHTML-Dokumente folgen jedoch weit strengeren Regeln. Dinge, die in HTML (noch) zulässig waren, sind in XHTML nicht mehr erlaubt. XHTML trat im Januar 2000 offiziell in Kraft und liegt derzeit in der Version 1 vor. Verantwortlich für die Weiterentwicklung dieser Websprachen ist das W3C, das World Wide Web Consortium (www.w3.org). Ich bringe Ihnen in diesem Buch HTML nach den strengeren (X)HTML-Regeln bei, mache an einigen Stellen jedoch einen Kompromiss.

Die Homepage für dieses Buch heißt www.jchanke.de/fix.html. Dort finden Sie eine Feedback-Möglichkeit, Ergänzungen, eventuelle Korrekturen (auch Autoren sind nur Menschen) und weiterführende Querverweise. Meine E-Mail-Adresse lautet fi(X)HTML@jchanke.de. Die Internetpräsenz von DATA BECKER wartet dagegen unter www.databecker.de auf Ihren Besuch.

Ich wünsche Ihnen viel Spaß und Erfolg beim Erstellen der eigenen Webseite. Worauf warten Sie noch, tauchen Sie ein in die Welt von HTML und XHTML!

Ihr Johann-Christian Hanke

Los geht's: Projektordner und Datei

Sie arbeiten unter Windows 95, 98, 2000 oder Millennium? Sie benutzen den Internet Explorer als Standardbrowser? Dann habe ich einen einfachen Weg für Sie! Zäumen Sie das Pferd von hinten auf: Starten Sie den Windows-Explorer, Ihren praktischen Datei-Manager. Legen Sie dort zuerst einen eigenen Ordner an. Erstellen Sie dann Ihre erste Seite direkt vom Windows-Explorer aus.

Los geht's!

Info

Standardbrowser überprüfen

Sie haben mehrere Webbrowser auf Ihrer Festplatte installiert? Beispielsweise den Netscape Navigator, Opera oder StarOffice? Der Internet Explorer ist nicht Ihr Standardbrowser? Wählen Sie *Start/Einstellungen/Systemsteuerung*. Doppelklicken Sie auf das Symbol *Internetoptionen*. Klicken Sie auf die Registerzunge *Programme*. Achten Sie darauf, dass hier ein Häkchen sitzt bei *Auf Internet Explorer als Standardbrowser überprüfen*.

Erstellen Sie den Projektordner

Ich rate Ihnen, alle HTML-Dokumente am Anfang in einem eigenen Ordner abzulegen! Richten Sie deshalb zuerst mit dem Windows-Explorer solch einen Ordner ein. Zur Erinnerung: Der Windows-Explorer ist Ihr praktischer Datei-Manager zum Verwalten von Ordnern und Dateien.

1 Starten Sie den Windows-Explorer. Das gelingt über *Start/Programme/Zubehör/Windows Explorer*. Auch die Tastenkombination [Win]+[E] führt zum Ziel.

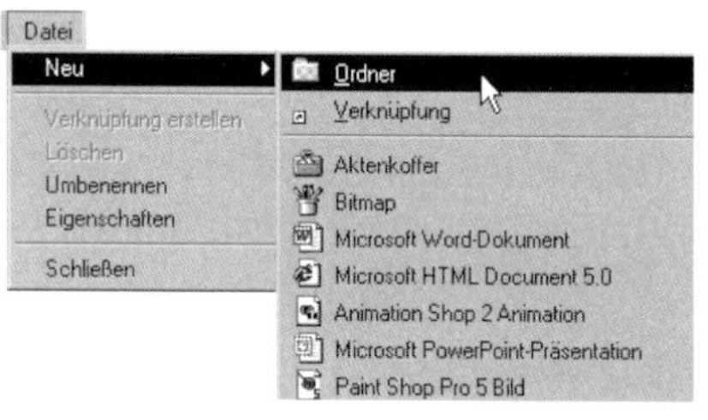

2 An welcher Stelle soll der neue Ordner entstehen? Direkt unter dem Festplattenlaufwerk C:? Dann markieren Sie das Symbol *Festplatte (C:)* durch kurzes Anklicken. Wählen Sie im Menü *Datei* den Befehl *Neu*. Ein weiteres Menü klappt zur Seite. Entscheiden Sie sich hier für den Befehl *Ordner*.

3 Im rechten Fensterbereich erscheint ein Ordner mit der Platzhalterbezeichnung *Neuer Ordner*. Dieser Name ist markiert, dunkel hinterlegt. Klicken Sie noch nirgends, schließlich ist dieser Name nicht sonderlich attraktiv.

4 Markiertes lässt sich ersetzen: Überschreiben Sie einfach diesen Platzhalternamen. Geben Sie im Beispiel „homepage" ein. Bestätigen Sie die Umbenennung mit [Enter].

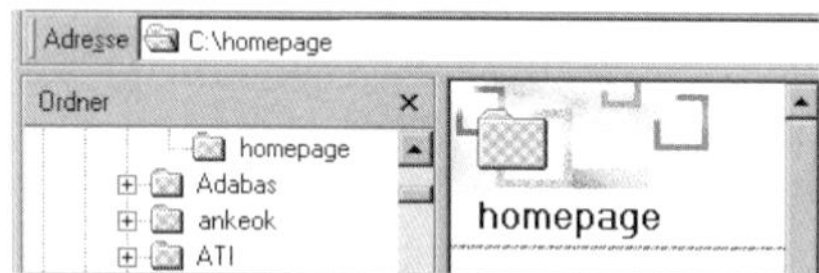

5 Öffnen Sie diesen Ordner nun durch Doppelklick. Er ist noch leer.

Sie arbeiten mit einem anderen Betriebssystem als Windows, vielleicht mit Linux, Be-OS oder dem Mac-OS? Auch hier sollten Sie für Ihr Projekt einen eigenen Ordner einrichten. Folgen Sie dafür den Regeln Ihres Betriebssystems, im Mac-OS benutzen Sie dafür beispielsweise den Finder. Hinweis: Unter manchen Betriebssystemen wird ein Ordner auch als Verzeichnis bezeichnet, als „directory".

So erzeugen Sie die (X)HTML-Datei

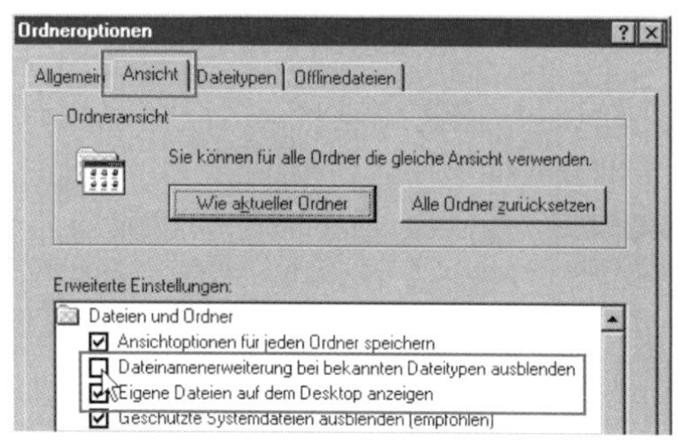

Nun ran an den Speck, das Web wartet: (X)HTML-Dateien sind einfache Textdateien. Sie besitzen die Endung *.htm* oder *.html*. Nun denn, erstellen Sie solch eine Datei und verpassen Sie ihr die entsprechende Endung. Unsere HTML-Datei soll im Beispiel *hallo.htm* heißen.

Info

Dateiendungen müssen eingeblendet sein

Achten Sie unbedingt darauf, dass Sie die Dateiendungen eingeblendet haben. Normalerweise werden Ihnen diese unter Windows ausgeblendet. Zum Einblenden der Dateiendungen wählen Sie im Windows-Explorer den Befehl *Ordneroptionen*. Dieser steckt je nach Windows-Version im Menü *Ansicht* oder *Extras*. Gefunden? Prima! Gehen Sie hier in das Register *Ansicht*. Suchen Sie den Text *Dateinamenerweiterung bei bekannten Dateitypen ausblenden*. Nehmen Sie das Häkchen an dieser Stelle weg! Bestätigen Sie Ihre Einstellungen durch Klick auf die Schaltfläche *OK*. Und schon bekommen Sie stets den vollen Dateinamen zu Gesicht!

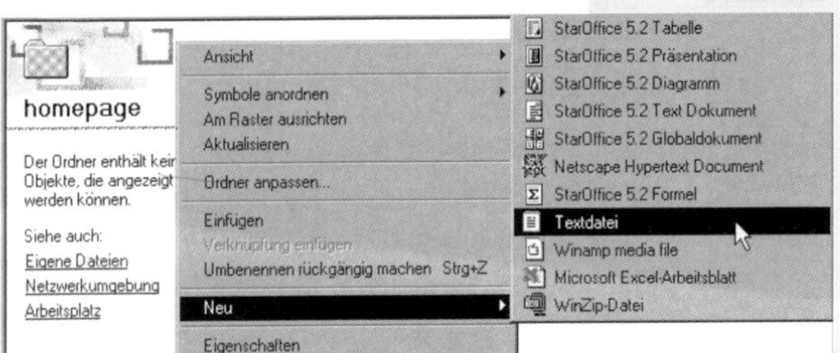

1 Sie stecken noch im Windows-Explorer? Das ist korrekt! Achten Sie darauf, dass Sie sich in Ihrem Projektordner befinden, gegebenenfalls müssen Sie diesen durch Anklicken markieren. Klicken Sie nun mit der rechten Maustaste in diesen Ordner, also in die leere Fläche im rechten Fensterbereich. Das Kontextmenü erscheint. Wählen Sie im Menü *Neu* den Befehl *Textdatei*.

2 Ein Symbol mit dem Platzhalternamen *Neu Textdatei.txt* entsteht. Dahinter verbirgt sich eine leere Textdatei. Textdatei ist richtig, doch die Endung stimmt nicht. Unsere Datei soll *hallo.htm* heißen. Sie erinnern sich: (X)HTML-Dokumente besitzen die Endung *.htm* (oder *.html*).

3 Überschreiben Sie den Namen, geben Sie „hallo.htm" ein. In Worten: hallo-punkt-htm! Ohne Leerzeichen! Bestätigen Sie die Umbenennung durch Klick auf [Enter].

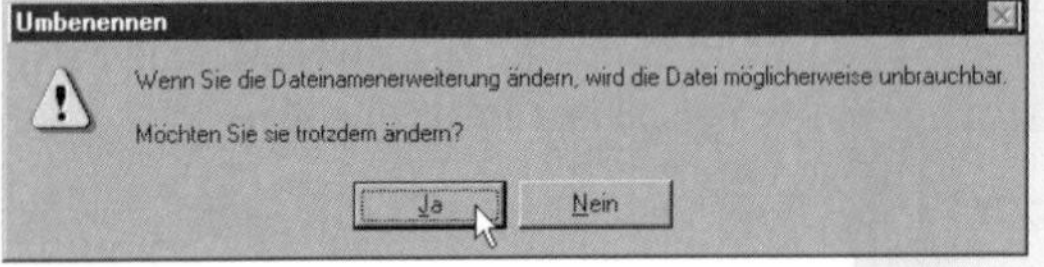

4 Jetzt werden Sie von Windows gewarnt. Die Datei werde unbrauchbar. Aber keine Angst, alles hat seine Richtigkeit. Klicken Sie auf *Ja*.

5 Es hat alles geklappt? Der Internet Explorer ist Ihr Standardbrowser? Dann erscheint jetzt eine umgestaltete, frisch benannte Datei. Auf dieser prangt stolz das blaue e-Symbol vom Internet Explorer.

6 Doppelklicken Sie einfach auf diese Datei: Jetzt öffnet sich der Internet Explorer und zeigt den Inhalt Ihrer „frischen" HTML-Datei an. Was sagen Sie, Sie sehen noch keinen Inhalt? Kunststück, schließlich ist die Datei bisher noch leer!

Auf den nächsten Seiten zeige ich Ihnen, wie Sie diesen unhaltbaren Zustand ändern.

Datei im Editor öffnen

Webseiten sind einfache Textdokumente, mehr nicht. Daraus folgt: Zum Bearbeiten von HTML-Dokumenten reicht eine einfache Textverarbeitung. Im Beispiel verwenden Sie den Windows-Editor, ein Minimal-Textverarbeitungsprogramm, das bei Windows kostenlos mitgeliefert wird. (Auch andere Betriebssysteme haben ihre Minimal-Textverarbeitungsprogramme. Im Mac-OS heißt dieses beispielsweise SimpleText und steckt im Ordner Programme.)

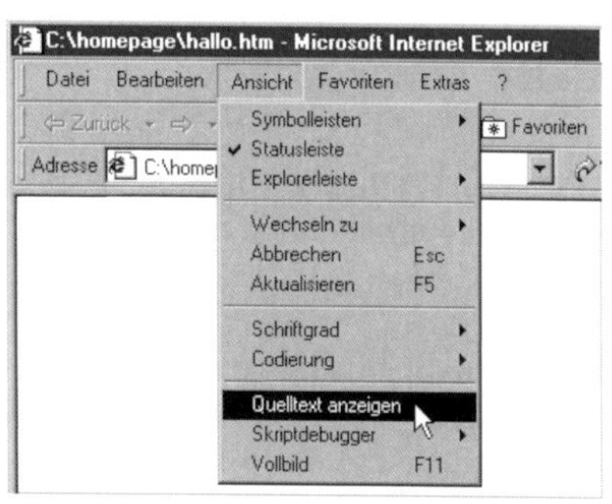

1 Der Internet Explorer ist geöffnet. Sie sehen Ihr (bisher noch leeres) HTML-Dokument. Wählen sie im Menü *Ansicht* den Befehl *Quelltext anzeigen*.

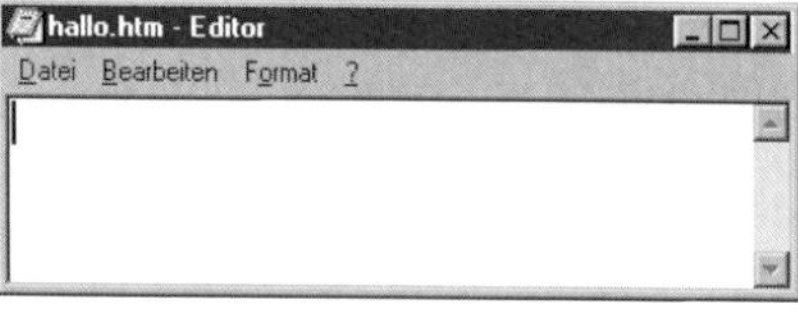

2 Der Windows-Editor öffnet sich, die schon erwähnte Minimal-Textverarbeitung von Windows. Der Cursor blinkt ungeduldig vor sich hin. Sie können mit dem Erstellen der HTML-Datei beginnen!

3 Gleich noch ein Hinweis zur Einstellung: Ich empfehle Ihnen, die Option *Zeilenumbruch* abzuhaken. Sie finden diesen Befehl je nach Editor im Menü *Bearbeiten* (Windows 95/98/Me) oder *Format* (Windows 2000). Dadurch rollen lange Zeilen nicht mehr rechts aus dem Editor-Fenster hinaus, sondern werden automatisch umbrochen.

Info

Editor direkt starten

Die Methode hat aus irgendeinem Grund nicht funktioniert? Starten Sie den Editor direkt: Wählen Sie *Start/Programme/Zubehör/Editor*. Sie können sich auch im Startmenü für den *Ausführen*-Befehl entscheiden. Tippen Sie „notepad" in das Fenster ein und klicken Sie auf *OK*. Allerdings besitzt Ihr Dokument noch keinen Namen, speichern Sie: Normalerweise vergibt der Editor die Endung *txt*. Wenn Sie eine andere Endung erzwingen wollen, müssen Sie den Dateinamen zusätzlich in Anführungszeichen setzen. Tippen Sie also „"hallo.htm"".

Kein Mensch zwingt Sie, mit dem Editor zu arbeiten. Natürlich können Sie auch jede andere Textverarbeitung verwenden. Allerdings müssen Sie beim Speichern als Dateityp unbedingt *Nur Text* bzw. *Textformat* einstellen. Denken Sie außerdem an die Endung *.htm*!

Kopf und Körper: Head und Body

Weiter im Text: Zuerst geht es um die einfache Gestaltung einer Webseite. Es ist eine Basisseite mit Überschriften, Fließtext, einer Aufzählung und Linien. Kurz, es handelt sich um die Homepage von Hans Hallmeyer.

In der Titelzeile des Browsers steht der Titel. Im Beispiel lautet dieser: *Willkommen bei Hans Hallmeyer*. (Achten Sie einmal darauf, die meisten übersehen den Titel!)

Im „Hauptfenster" sorgen wiederum verschiedene Überschriftenebenen, Linien, Fließtextpassagen, Aufzählungen und Hervorhebungen für die Gestaltung.

Machen Sie mit, erstellen Sie das Grundgerüst dieser HTML-Datei. Sie haben den Editor vor sich? Oder ein anderes Minimalprogramm? Auf Los geht's los!

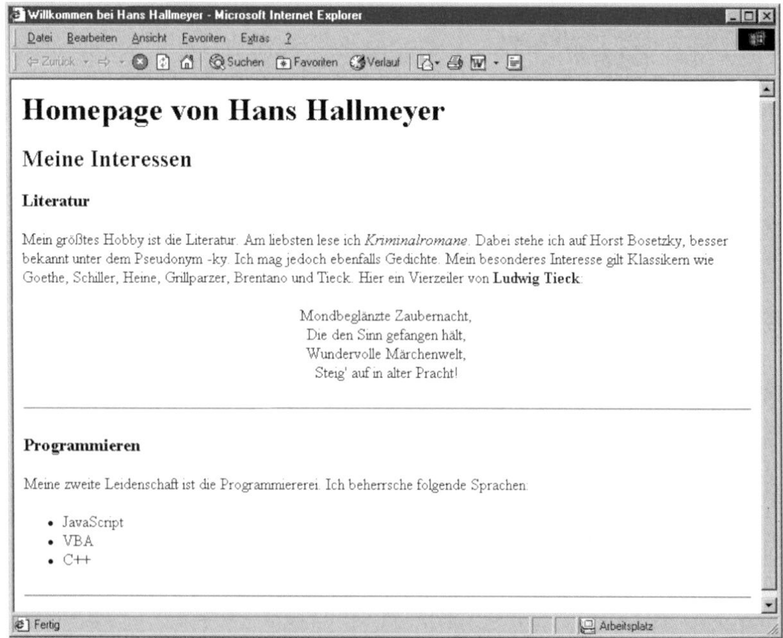

Vorbemerkungen: Das müssen Sie wissen

Was müssen Sie wissen? Vorerst nicht viel:

1 HTML-Seiten sind einfache Textdateien mit der Endung *.htm* oder *.html*! Das wissen Sie schon.

2 Jede HTML-Seite besteht aus dem Head (Kopf) und dem Body (Körper). Der eigentliche Inhalt steht im Body. Der Kopf kann für die so genannten Meta-Tags, für Style Sheets, kleine Programme usw. verwendet werden. (Wir halten unseren Kopf am Anfang frei, das ist am besten.)

3 Die einzelnen Eigenschaften („Auszeichnungen") werden durch Tags eingeleitet (<h1>), diese stehen in spitzen Klammern.

4 Jeder Tag zum Einschalten benötigt einen zum Ausschalten, erkennbar durch den zusätzlichen Schrägstrich, den Slash (</h1>).

```
<h1>Das ist eine Hauptüberschrift</h1>
```

5 Wenn Sie mehrere Tags kombinieren, müssen sie in der entgegengesetzten Reihenfolge wieder abgeschaltet werden, <p><i>...</i></p> wäre eine korrekte Verschachtelung, <p><i>...</p></i> ist dagegen falsch.

```
<p><i>fett und kursiv richtig verschachtelt
  </i></p>
```

6 Einige Tags benötigen von der Logik her keinen End-Tag, beispielsweise den Tag für eine Linie *<hr>*. Solche Tags müssen trotzdem geschlossen werden, und zwar so: *<h1 />*! Der Schrägstrich befindet sich am Ende des Tags, und zwar nach einem Leerzeichen.

<hr />

7 Alle Tags werden klein geschrieben. (Das ist neu in XHTML, früher wurde für die Tags häufig Großschreibung verwendet.)

Das soll für den Anfang genügen! Legen Sie los.

Kopf und Körper

Erstellen Sie zuerst den Head, den Kopfbereich des HTML-Dokuments. Daran schließt sich der Body an, der Körper.

1 Jedes HTML-Dokument beginnt mit <html>. Das ist der Einleitungs-Tag. Drücken Sie danach auf [Enter].

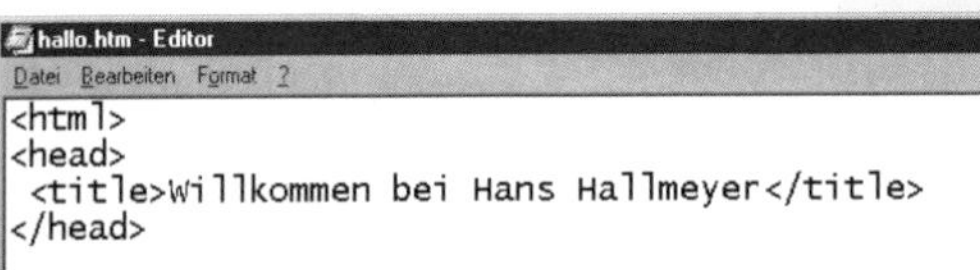

2 Danach folgt der Kopf eines HTML-Dokuments, der Head. Der Kopfbereich wird mit <head> und </head> umschlossen. Schreiben Sie also erst <head> und drücken Sie auf [Enter].

hallo.htm - Editor

Datei Bearbeiten Format ?

```
<html>
<head>
 <title>Willkommen bei Hans Hallmeyer</title>
</head>
<body>
        Hier steht der Inhalt ...
</body>
</html>
```

3 Im Kopfbereich enthalten ist der Titel. Tragen Sie in der nächsten Zeile zwischen <title></title> einen aussagekräftigen Titel ein, im Beispiel „Willkommen bei Hans Hallmeyer". Zur Erinnerung: Der Titel erscheint später nicht direkt im Dokument, sondern in der Titelzeile des Browsers!

4 Ergänzen Sie jetzt Ihren Quelltext. Nach dem Head folgt der Body, er wird durch den <body>-Tag eingeleitet. Die Zeichenfolge *Hier steht der Inhalt* dient nur als Platzhalter.

5 Der Body wird nun ganz am Schluss mit </body> wieder abgeschaltet. Auch der Tag <html> erhält am Ende sein „Ausschalt-Pendant" </html>.

Damit kennen Sie nun das Grundgerüst für (X)HTML. Speichern Sie Ihr Dokument über *Datei/Speichern*. Mit so wenigen Kenntnissen können Sie schon einfache Seiten selbst schreiben, ist das nicht fabelhaft?

Das Umlaut-Problem

Sonderzeichen	Kodierung
ä	ä
Ä	Ä
ö	ö
Ö	Ö
ü	ü
Ü	Ü
ß	ß

Eine wichtige Sache nur nebenbei: Umlaute oder bestimmte Sonderzeichen wie ß sollten in (X)HTML umschrieben werden. Das dient vor allem dazu, diese Zeichen in anderen Ländern richtig darzustellen.

Hier eine Übersicht über die wichtigsten dieser so genannten Entitäten.

Sie wollen Anführungszeichen setzen? Maskieren Sie diese durch *"*! Schreiben Sie beispielsweise:

```
Das ist meine neuste &quot;Heimatseite&quot;!
```

Info

Meta-Tags für Zeichencode

Sie haben keine Lust, die Umlaute zu umschreiben? Dann setzen Sie folgende Zeile in den Kopf des HTML-Dokuments:

```
<meta http-equiv="Content-Type" content="text/html; charset=ISO-8559-1" />.
```

Platzieren Sie diese Zeile beispielsweise zwischen </title> und <head>. Mit ISO-8559-1 beziehen Sie sich auf *Latin-1*, den bei uns gebräuchlichen Zeichensatz. Trotzdem nutze ich in den Beispielen konsequent die Umschreibung. Viele spezielle Homepage-Editoren kodieren solche speziellen Zeichen übrigens ganz automatisch.

XHTML, XML und Dokumenttyp-Definition

Neben dem Umlautproblem gibt es noch ein zweites Problem: HTML hat sich in der Zwischenzeit zu (X)HTML weiterentwickelt. Eigentlich sollte uns das nicht weiter beschäftigen, da beide Sprachen in den meisten Details identisch sind. Aber leider nicht in allen. Können Sie die Wahrheit vertragen? XHTML ist eigentlich nichts weiter als in XML eingebettetes HTML! Doch was zum Kuckuck ist XML?

Info

Was ist XML?

XML ist die Kurzform von e**X**tensible **M**arkup **L**anguage, erweiterbare Auszeichnungssprache. XML ist ein neuer Standard, vorrangig gedacht für logisch strukturierte Daten wie Adressverzeichnisse, Datenbanken, Kataloge, Onlineformulare usw. In XML sind Struktur und Layout streng getrennt. Sie können (und müssen) Ihre eigenen Tags kreieren, die je nach Kontext eine eigene Bedeutung erhalten. XML wurde erstmals 1998 vom World Wide Web Consortium (W3C) vorgestellt. Es wird sich möglicherweise zum kommenden Webstandard entwickeln. XML wird jedoch nur von den neusten Browsern unterstützt. Viele Dinge wie Hyperlinks, Multimedia usw. gehen nur mit Zusatzsprachen, die sich teilweise noch in der Entwicklung befinden. XML ist wegen dieser Nachteile und der komplizierten Erstellung derzeit für die Gestaltung Ihrer Internetseiten nicht geeignet!

XHTML als HTML

Nur wenigen macht es Spaß, mit einer noch unfertigen, komplizierten Sprache Webseiten zu programmieren. Die Entwickler vom W3C haben sich deshalb zwischenzeitlich entschlossen, HTML nach den Regeln von XML neu zu definieren. Recht so, Jungs! Alles bleibt (fast) beim Alten. Dabei erfindet man keine neuen Tags, sondern greift auf die bekannten HTML-Tags zurück. Trotzdem gibt es natürlich einige Unterschiede:

1 Wenn man es ganz genau nimmt, genügt der Tag <html> zu Beginn des Dokuments allein nicht mehr.

2 Ein XML-Dokument beginnt mit dem so genannten Prolog. Außerdem muss laut W3C-Standard jedes korrekte XHTML-Dokument einen Verweis auf eine so genannte Dokumenttyp-Definition (DTD) besitzen. Dieser Verweis auf eine DTD wird übrigens auch als Dokumenttyp-Deklaration bezeichnet.

3 Zusätzlich wird in XML ein „Namensraum" für HTML definiert. Statt <html> müssen Sie nun folgende drei Zeilen schreiben, ich habe die Zeilen der Übersichtlichkeit halber durchnummeriert.

```
1 <?xml version="1.0"?>
2 <!DOCTYPE html PUBLIC „-//W3C//DTD XHTML
    1.0 Transitional//EN"
    "http://www.w3.org/TR/xhtml1/DTD/
    xhtml1-transitional.dtd">
3 <html xmlns="http://www.w3.org/1999/
    xhtml">
```

4 Zeile 1 ist der so genannte XML-Prolog. Schließlich handelt es sich um HTML, das in XML eingebettet wurde.

5 Die zweite lange Zeile beinhaltet den Verweis auf die Dokumenttyp-Definition.

6 In Zeile 3 wird in XML der schon erwähnte Namensraum (name space) für HTML „geöffnet". Dazu wird der <html>-Tag mit dem Attribut *xmlns* „aufgebohrt".

Verwirrend hoch drei, finden Sie nicht? Ich verzichte im Buch bei HTML- bzw. XHTML-Dokumenten deshalb grundsätzlich auf diese drei Zeilen. Stattdessen schreibe ich weiterhin <html> und folge damit der gängigen Praxis. Besonders der lange Verweis auf die Dokumenttyp-Definition (Zeile 2) ist völlig unnötig. Warum?

1 Die aktuellen (und auch künftige) Browser können (X)HTML problemlos ohne DTD lesen, da alle Tags im Browser „eingebaut" und somit bekannt sind.

2 Von den derzeit gängigen Browsern wird diese Angabe schlicht ignoriert.

3 Es wird in der Praxis kaum verwendet und verwirrt gerade Anfänger.

Info

HTML automatisch nach XHTML konvertieren

Ich habe gleich noch eine freudige Nachricht für Sie: Es gibt Programme, die HTML automatisch nach XHTML konvertieren. Ein kostenloser Vertreter dieser Zunft stammt direkt vom W3C und heißt HTML-TIDY. Sie finden das Tool im Freeware-Editor HTML-Kit. Laden Sie sich HTML-Kit unter www.chami-com/html-kit herunter. Wählen Sie im HTML-Kit *Actions/Tools/HTML Tidy/Convert to XHTML*. Und schon haben Sie das korrekteste XHTML-Dokument, das man sich wünschen kann.

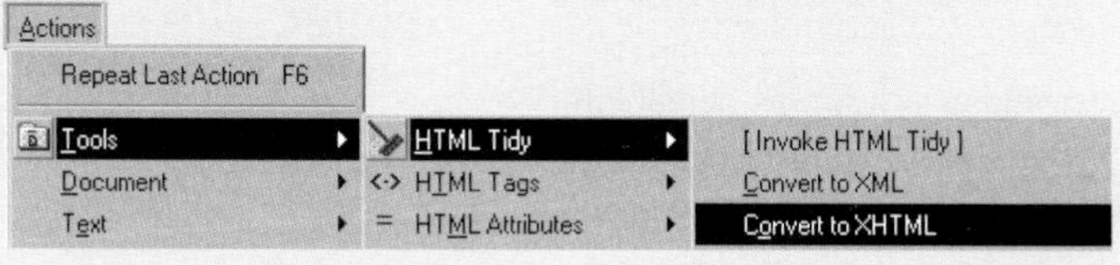

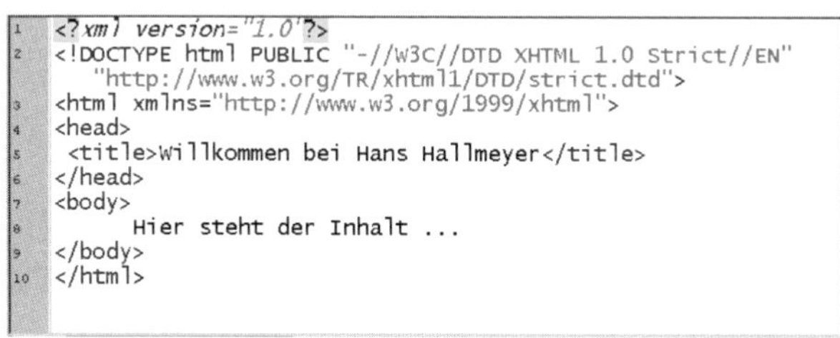

```
1  <?xml version="1.0"?>
2  <!DOCTYPE html PUBLIC "-//W3C//DTD XHTML 1.0 Strict//EN"
     "http://www.w3.org/TR/xhtml1/DTD/strict.dtd">
3  <html xmlns="http://www.w3.org/1999/xhtml">
4  <head>
5   <title>Willkommen bei Hans Hallmeyer</title>
6  </head>
7  <body>
8        Hier steht der Inhalt ...
9  </body>
10 </html>
```

Aber Sie sollen auch korrektes XHTML kennen lernen. Deshalb sehen Sie das bis hierher erstellte Dokument im „überkorrekten" XHTML-Stil. Die entsprechenden Tags habe ich farbig hervorgehoben..

Allerdings ist es dem Browser derzeit völlig egal, ob Sie <html> oder diese drei Zeilen zu Beginn Ihres Dokuments setzen.

Drei Dokumenttyp-Definitionen

Ich quäle Sie noch ein wenig mit den „Formalien" herum. Interessieren Sie sich näher für das Thema Dokumenttyp-Definitionen? Die XHTML-Norm wurde vom W3C in drei Dokumenttyp-Definitionen festgelegt. Auf den Vorseiten hatte ich Ihnen ja schon eine davon vorgestellt.

In solch einer DTD finden Sie Anweisungen zur Struktur des Dokuments, diese Anweisungen sind in der Sprache SGML abgefasst. Es gibt zum einen eine strenge und zum anderen eine „gemäßigte" Fassung.

Die strenge Fassung (strict DTD) definiert nur die Elemente, die derzeit gültig und nicht veraltet sind. Die gemäßigte oder auch Übergangs-DTD (transitional DTD) wiederum entspricht den derzeit gebräuchlichen XHTML- (bzw. HTML-) Befehlen. Außerdem gibt es noch eine DTD für Framesets. Alle DTDs liegen auf dem Server des W3C.

1 Der Verweis auf die „strict DTD", die strenge Dokumenttyp-Definition, sieht so aus:

```
<!DOCTYPE html PUBLIC „-//W3C//DTD XHTML1.0 Strict//EN"
"http://www.w3.org/TR/xhtml1/DTD/xhtml1-strict.dtd">
```

2 Sie entscheiden sich für die gemäßigte DTD, die „Übergangsfassung"? Dann schreiben Sie am Anfang Ihrer Dokumente:

```
<!DOCTYPE html PUBLIC „-//W3C//DTDXHTML 1.0 Transitional//EN"
"http://www.w3.org/TR/xhtml1/DTDxhtml1-transitional.dtd">
```

3 Und zum Schluss folgt die für Framesets gebräuchliche DTD. Stellen Sie Ihren „Frame-Definitionen" einfach folgende Zeile voran:

```
<!DOCTYPE html PUBLIC „-//W3C//DTD XHTML1.0 Frameset//EN"
"http://www.w3.org/TR/xhtml1/DTD/xhtml1-frame-set.dtd">
```

Ich hatte davon gesprochen, dass es sich um einen Verweis auf eine Dokumenttyp-Definition handelt.

Wo liegt nun die eigentliche Definition, beispielsweise die „Übergangsfassung"? Schauen Sie sich die Stelle *„http://www.w3.org/TR/xhtml1/DTD/xhtml1-transitional.dtd"* ganz genau an. Das ist der Verweis!

Tippen Sie diesen URL in Ihren Browser ein und schon bekommen Sie die komplette Definition zu Gesicht.

Aber erschrecken Sie nicht: Ein DTD-Dokument liegt stets in der Dokumentbeschreibungssprache SGML vor. Hier sehen Sie einen Ausschnitt aus der DTD für transitional XHTML.

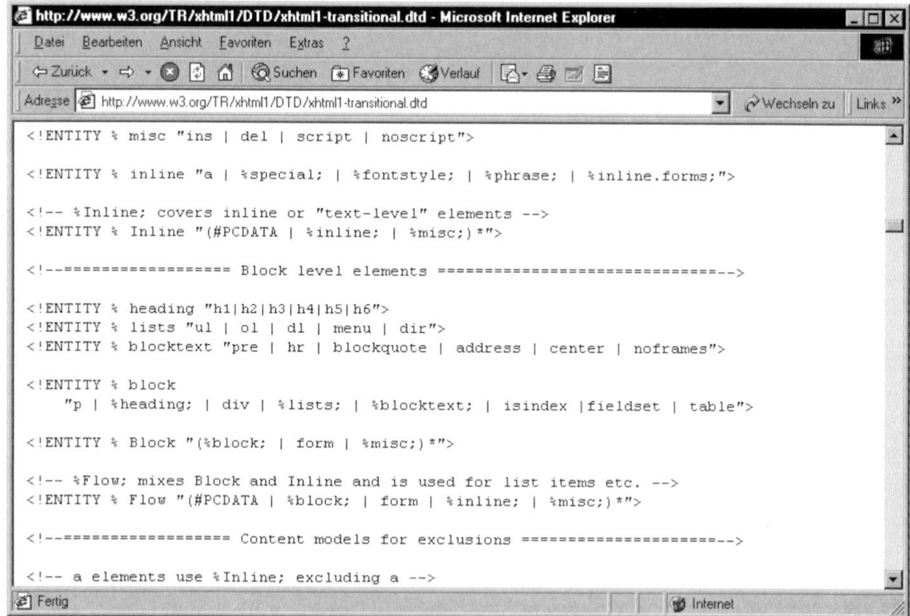

```
<!ENTITY % misc "ins | del | script | noscript">

<!ENTITY % inline "a | %special; | %fontstyle; | %phrase; | %inline.forms;">

<!-- %Inline; covers inline or "text-level" elements -->
<!ENTITY % Inline "(#PCDATA | %inline; | %misc;)*">

<!--================== Block level elements ==============================-->

<!ENTITY % heading "h1|h2|h3|h4|h5|h6">
<!ENTITY % lists "ul | ol | dl | menu | dir">
<!ENTITY % blocktext "pre | hr | blockquote | address | center | noframes">

<!ENTITY % block
    "p | %heading; | div | %lists; | %blocktext; | isindex |fieldset | table">

<!ENTITY % Block "(%block; | form | %misc;)*">

<!-- %Flow; mixes Block and Inline and is used for list items etc. -->
<!ENTITY % Flow "(#PCDATA | %block; | form | %inline; | %misc;)*">

<!--================== Content models for exclusions =====================-->

<!-- a elements use %Inline; excluding a -->
```

Damit ist unser theoretischer Ausflug auch schon beendet. Machen Sie, was Sie wollen, ich bleibe bei <html> und erspare mir damit alle „Formalien".

Überschriften, Absätze und Linien

Genug der Theorie und Spitzfindigkeiten! Weiter geht's! Fügen Sie Inhalt in Ihr Dokument ein. Sie werden merken, wie einfach HTML ist. (Jawohl, ich gebrauche auf den nächsten Seiten den Begriff HTML gleichzeitig als Synonym für XHTML). Folgendes Wissen reicht aus, um schon grundlegende Seiten zu erstellen.

1 Sie wollen logisch gegliederte Überschriften erstellen? Es gibt in HTML insgesamt sechs Überschriftenebenen: Nutzen Sie die Tags <h1></h1> bis <h6></h6>! Der Buchstabe *h* steht für *heading*, Überschrift. Die Überschriften werden durch unterschiedliche Größen abgestuft und zusätzlich fett formatiert.

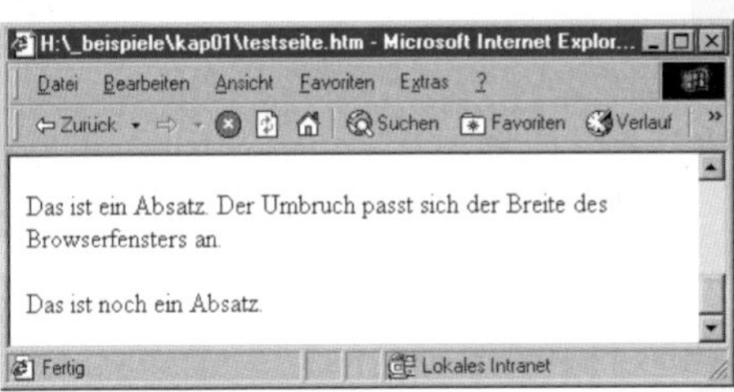

2 Absätze werden mit <p> eingeleitet und mit </p> beendet. Das p steht für *paragraph*, Absatz. Textabsätze besitzen zueinander einen größeren Abstand.

3 Sie wollen lediglich einen Zeilenumbruch erzeugen? Dann verwenden Sie das Tag <br />. Es steht für *break*, Umbruch. Da es keinen End-Tag besitzt, muss es intern ausgeschaltet werden. Dazu schreiben Sie hinter *br* ein Leerzeichen und setzen danach einen Slash, einen Schrägstrich. Ein Zeilenumbruch dient dazu, Text auf die neue Zeile zu setzen, ohne gleich einen neuen Absatz zu beginnen.

Das ist noch ein Absatz.
So wird eine Linie im Internet Explorer 5.x dargestellt:

---

4 Eine Linie erhält das Symbol <hr />, beachten Sie auch hier das Leerzeichen und den integrierten End-Tag. Mit hr ist horizontal rule (horizontale Linie) gemeint. Die Abbildung zeigt Ihnen einen Absatz mit Zeilenumbruch, danach eine Linie.

5 Weiterhin gilt: Der Umbruch des Dokuments passt sich der Größe des Browserfensters an. Absatzwechsel im Editor spielen keine Rolle, nur die Tags zählen. Mehr als ein Leerzeichen wird nicht interpretiert.

Und so sieht das Beispieldokument bisher aus. Ich habe die Tags und Umlaute der Übersichtlichkeit halber farbig hervorgehoben. (Der „normale" Windows-Editor kann das natürlich nicht.) Schreiben Sie den Text ruhig ab. Speichern Sie. Und damit kennen Sie schon einige wichtige Gesetzmäßigkeiten von HTML-Dokumenten.

hallo.htm - Editor

Datei Bearbeiten Format ?

```
<html>

<head>
      <title>Willkommen bei Hans Hallmeyer</title>
</head>

<body>
<h1>Homepage von Hans Hallmeyer</h1>
   <h2>Meine Interessen</h2>
         <h3>Literatur</h3>

<p>Mein gr&ouml;&szlig;tes Hobby ist die Literatur. Am liebsten
lese ich Kriminalromane. Dabei stehe ich auf Horst
Bosetzky, besser bekannt unter dem Pseudonym -ky. Ich mag jedoch
ebenfalls Gedichte. Mein besonderes Interesse gilt Klassikern wie
Goethe, Schiller, Heine, Grillparzer, Brentano und Tieck. Hier
ein Vierzeiler von Ludwig Tieck:</p>

<p>Mondbegl&auml;nzte Zaubernacht,<br />
Die den Sinn gefangen h&auml;lt,<br />
Wundervolle M&auml;rchenwelt,<br />
Steig' auf in alter Pracht!</p>

<hr />

<h3>Programmieren</h3>

<p>Meine zweite Leidenschaft ist die Programmiererei. Ich
beherrsche folgende Sprachen:</p>

<hr />

</body>
</html>
```

Info

Gliedern Sie den Quelltext

Behalten Sie die Übersicht über Ihr Dokument. Gliedern Sie den Quelltext! Sie können dafür mit Absatzumbrüchen, Einrückungen mit der Tab-Taste und Leerzeilen arbeiten. Das wird vom Browser nicht interpretiert, hilft Ihnen jedoch, die Übersicht zu bewahren. Apropos Übersicht: Spezielle Quelltext-Editoren helfen Ihnen sogar, die Tags farbig hervorzuheben. Bekannte Editoren sind Homesite, Arachnophilia, das HTML-Kit oder 1st Page von Evrsoft. Auch in Layout-Editoren wie GoLive, FrontPage oder Dreamweaver können Sie in der Regel in die Quelltext-Ansicht umschalten und hier Ihr Dokument bearbeiten. Mehr zu diesen Tools in der Notfallkiste am Ende des Buchs!

Betrachten Sie die Seite im Browser

Ich empfehle Ihnen, sich die Seite von Zeit zu Zeit im Browser anzuschauen. Dafür gibt es mehrere Möglichkeiten. Ich verrate Ihnen, wie Sie unter Windows klarkommen!

1 Sie haben Editor und Browser gleichzeitig geöffnet? Speichern Sie zuerst die neusten Änderungen in Ihrer HTML-Datei, beispielsweise über *Datei/Speichern*.

2 Schauen Sie in die Task-Leiste am Fuß des Bildschirms! Hier erhalten Sie eine Übersicht über alle gleichzeitig geöffneten Dateien! Klicken Sie auf die Schaltfläche für den Browser, um diesen in den Vordergrund zu holen. Sie können auch mit der Tastenkombination Alt+Tab zwischen Editor- und Browserfenster wechseln.

3 Der Browser erscheint: Klicken Sie im Internet Explorer auf die Schaltfläche *Aktualisieren*. Noch schneller geht der Druck auf die Funktionstaste F5, das erfüllt der gleichen Zweck. (Auch im Netscape-Browser gibt es eine *Aktualisieren*-Schaltfäche.)

4 Der Browser ist momentan nicht geöffnet? Doppelklicken Sie einfach auf die entsprechende Datei im Windows-Explorer. Schon öffnet sich der Browser mit Ihrer HTML-Datei. Falls bei Ihnen ein anderer Browser der Standardbrowser ist, wird Ihnen das Dokument in diesem Anzeigeprogramm präsentiert.

5 Sie möchten die Datei in einem anderen Browser betrachten, dieser ist aber nicht Ihr Standardbrowser? Öffnen Sie das entsprechende „Surfbrett". Starten Sie z. B. Netscape

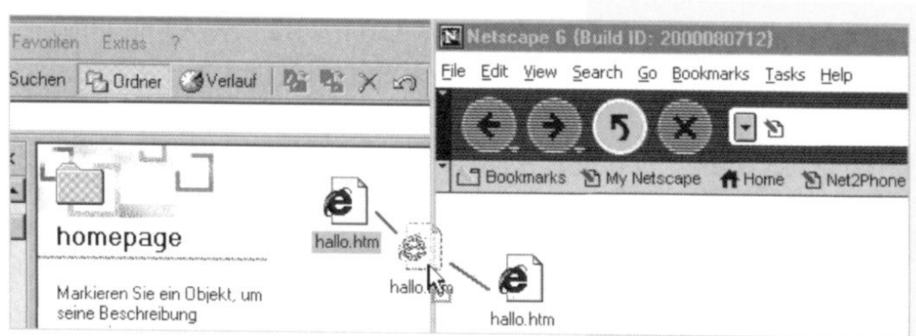

6. Ziehen Sie das Dateisymbol bei gedrückter linker Maustaste (mit Drag & Drop) in das geöffnete Browserfenster hinein.

Es kann nicht schaden, sich die Datei in verschiedenen Browsern anzusehen. Schließlich stellt jeder Browser Ihr Dokument etwas anders dar!

Ganz gewiefte Web-Designer testen regelmäßig, ob Ihr Dokument in den unterschiedlichsten Anzeigeprogrammen noch gut aussieht.

Absätze und Linien durch Attribute steuern

Die Tags kennen Sie, doch Sie wollen mehr: Richten Sie Ihre Absätze rechtsbündig aus oder zentriert. Verändern Sie die Breite und Dicke der Linien. Wie das gelingt? Mit den so genannten Attributen!

Absatzausrichtung verändern mit align

Werte	Ausrichtung	Beispiel
left	linksbündig, Voreinstellung	<p align=”left”>
right	rechtsbündig	<p align=”right”>
center	zentriert	<p align=”center”>
justify	Blocksatz	<p align=”justify”>

Normalerweise werden Textabsätze linksbündig ausgerichtet. Aber auch zentrierte und rechtsbündige Ausrichtung sind möglich, in manchen Fällen sogar der Blocksatz. Dafür sorgt das Attribut *align*, zu Deutsch: Ausrichtung.

Jedes Attribut wird durch entsprechende Werte gesteuert. Hier die Komplettübersicht für *align*: Probieren Sie das Attribut *align* ruhig einmal aus!

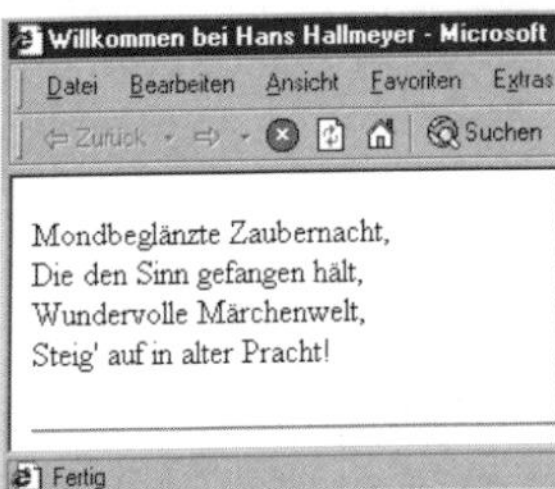

1 Im Beispiel soll der Absatz mit dem Gedicht zentriert werden. Hier steht er noch bündig am linken Rand des Browserfensters.

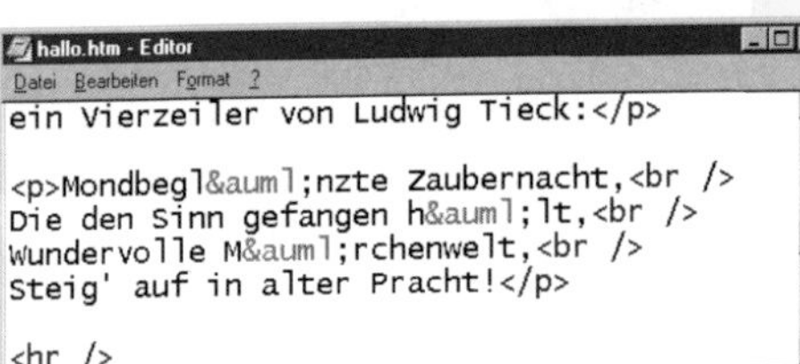

2 Bisher handelt es sich um einen gewöhnlichen Absatz. Dieser ist wie alle anderen Absätze per Voreinstellung linksbündig ausgerichtet. Lediglich zusätzliche Zeilenumbrüche (<br />) sorgen dafür, dass die Gedichtzeilen ordentlich untereinander ausgerichtet werden.

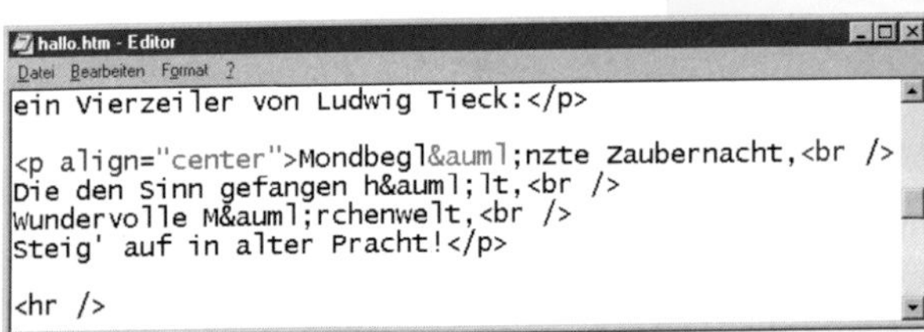

3 Klicken Sie hinter das *p* im <p>-Tag. Fügen Sie das Attribut *align="center"* in <p> ein.

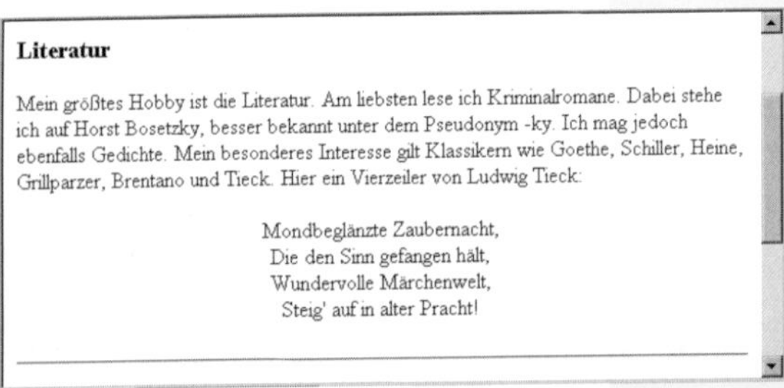

4 Und schon wird der komplette Absatz zentriert ausgerichtet.

Beachten Sie, dass die Attributnamen selbst klein geschrieben werden, genau wie die HTML-Tags. Die Attributwerte müssen stets in Anführungszeichen gesetzt werden. Falls Sie kein Attribut setzen, gilt die jeweilige Voreinstellung. Die Voreinstellung bei Absätzen lautet, wie schon erwähnt, linksbündig, *left*.

Linien durch Attribute steuern

Auch Linien lassen sich perfekt durch Attribute steuern. Doch nicht nur die Ausrichtung, auch Breite, Farbe oder Dicke der Linien können verändert werden.

Hier einige Attribute für Linien im Überblick:

1 Mit dem Attribut *width* können Sie die Breite eines Elements festlegen. Schreiben Sie, wenn die Linie beispielsweise 100 Pixel breit sein soll, beispielsweise:

```
<hr width=“100" />
```

2 Beachten Sie, dass bei Linien das Attribut *align* standardmäßig auf *center* eingestellt ist. Die Linie wird also nicht nur 100 Pixel breit sein, sondern auch in die Mitte rutschen. Ergänzen Sie gegebenenfalls noch *align="left"* oder *align="right"*.

```
<hr width=“100" align=“left“ />
```

3 Auch relative Maßangaben sind möglich. Setzen Sie einfach ein %-Zeichen hinter den Wert. Die folgende Linie steht linksbündig und nimmt 30 % der Fensterbreite ein:

```
<hr width=“30%“ align=“left“ />
```

4 Sie möchten die Dicke bzw. Größe der Linie steuern? Nutzen Sie *size*! Mit *size="3 "* erzeugen Sie beispielsweise eine Linie mit 3 Pixeln Größe.

```
<hr width=“30%“ align=“left“ size=“3" />
```

5 Und als ob das nicht reicht, können Sie Ihre Linie sogar „einfärben". Nutzen Sie dafür das Attribut *color.* Als Wert tragen Sie beispielsweise einen der erlaubten englischen Farbnamen ein wie red, green, blue, silver usw. Die folgende Linie nimmt 30% des Browserfensters ein, steht linksbündig, besitzt 3 Pixel Dicke und ist rot wie eine Cherry-Tomate.

```
<hr width="30%" align="left" size="3"
   color="red" />
```

Die Voreinstellung des Attributs *align* bei Linien ist *align="center* , bei *size* lautet sie 1 Pixel, für *width="100%"*, als Farbe wird meist schwarz angezeigt. Eine Übersicht über die Farben finden Sie übrigens im Referenzteil weiter hinten im Buch. Die Reihenfolge zur Angabe der Attribute ist übrigens egal.

Attribute und Werte von Linien

Hier finden Sie ausgewählte Attribute und Werte zu Linien im Überblick.

Tag	Attribut	Werte	Erklärung	Beispiel
<hr />			Erzeugt eine Linie.	<hr />
	size	Pixel	Dicke der Linie, Voreinstellung 1.	<hr size="5" />
	width	Pixel, %	Breite in Pixel oder Prozent, 100 % ist Voreinstellung.	<hr width="300" />
	align	center	Zentriert, Voreinstellung.	
		left	Linksbündig.	<hr width="50%" align="left" />
		right	Rechtsbündig.	<hr width="350" align="right" />
	color	red, blue, green usw.	Weist eine Farbe zu.	<hr color="blue" />

Schriftgestaltung durch Tags

Endlich! Gestalten Sie die Schrift. Weisen Sie Eigenschaften zu wie fett oder kursiv. Arbeiten Sie mit verschiedenen Farben und Schriftarten. In HTML stehen Ihnen u. a. folgende Tags zur Verfügung

- <b></b> wie *bold* formatiert Text fett.
- <i></i> wie *italic* weist die Eigenschaft kursiv zu.
- <u></u> wie *underline* unterstreicht Textpassagen.

Abgesehen von <u></u> sollten Sie diese Eigenschaften unbedingt einmal ausprobieren. Auf die Unterstreichung verzichten Sie am besten, weil man das sonst mit einem Hyperlink (Querverweis) verwechselt.

1 Im Beispiel soll das Wort *Kriminalromane* kursiv gestaltet werden. Den Namen des Dichters Ludwig Tieck formatieren Sie dagegen fett.

```
hallo.htm - Editor
Datei Bearbeiten Format ?
<p>Mein gr&ouml;&szlig;tes Hobby ist die Literatur. Am liebsten
lese ich <i>Kriminalromane</i>|. Dabei stehe ich auf Horst
Bosetzky, besser bekannt unter dem Pseudonym -ky. Ich mag jedoch
```

2 Schreiben Sie zum Einschalten der Eigenschaft kursiv den Tag <i>. Am Ende schließen Sie ihn über </i> ab.

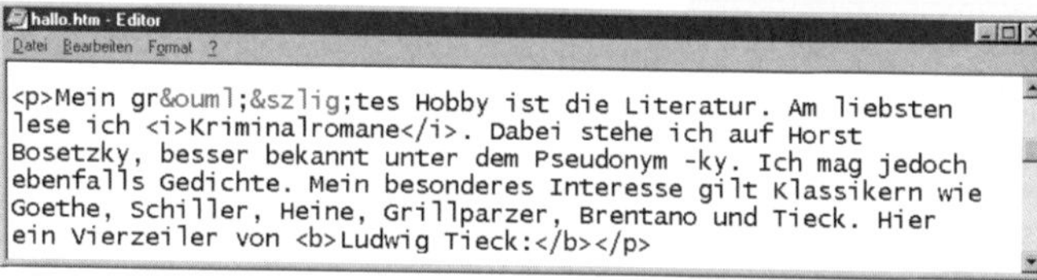

3 Ähnlich einfach formatieren Sie ein Wort fett. Beginnen Sie mit <b> und schalten Sie die Eigenschaft über </b> wieder ab.

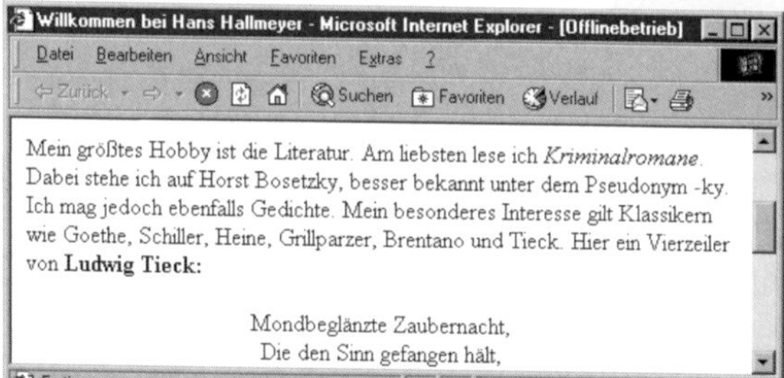

4 Speichern Sie das Dokument, aktualisieren Sie die Ansicht im Browser. Und schon können Sie sich über Ihre Zeichenformate freuen.

Die wichtigsten Tags zur Textauszeichnung

Hier erhalten Sie eine Übersicht über die wichtigsten Tags zur Textauszeichung. Wie die einzelnen Textpassagen dargestellt werden, hängt allerdings stets vom Browser ab.

Tag	Erklärung	Beispiel
<h1></h1> bis <h6></h6>	Überschriftenebenen 1 bis 6.	<h2>Überschrift 2</h2>
<b></b>	Bold, fett.	Das ist eine <b>fette</b> Sache.
<i></i>	Italic, kursiv.	Mit <i>kursiv</i> wird's schief!
<u></u>	Underlined, unterstrichen.	Bitte <u>nicht</u> verwenden.
<span></span>	Definiert <span>-Container, ideal für Zeichenformatierung via Style Sheets.	Das ist ein <span class="rot" id="rot">rotes Wort</span>.
<strike></strike>	Durchgestrichen.	<strike>durchgestrichen</strike>
<big></big>	Große Schrift, gut für Hervorhebungen.	<big>E</big>s war einmal.
<small></small>	Kleine Schrift.	<small>immer klein</small>
	Subscript, Tiefstellung.	H₂O
	Superscript, Hochstellung.	10⁵
<em></em>	Emphatic, hervorgehoben, betont, wird oft kursiv dargestellt.	Es ist <em>sehr</em> wichtig!
<strong></strong> strong>.	Strong, stark betont, oft fett dargestellt.	Bitte komme <strong>nicht</
<code></code>	Für Computerquellcode.	<code>function hallo()</code>
<kbd></kbd>	Text, der über die Tastatur einzugeben ist.	Tippe <kbd>md spiele</kbd>.
<cite></cite>	Literaturangaben, werden meist kursiv dargestellt.	siehe auch <cite>Raggett 00</cite>.
<dfn></dfn>	Definition, Definitionstext.	<dfn>p steht für paragraph </dfn>
<samp></samp>	Text wird ausgegeben wie eingegeben.	<samp>§%&$</samp>
<q></q>	Für kurze Zitate, meist kursiv dargestellt.	<q>Hallo</q> sagte er.
<tt></tt>	Teletype, Fernschreiber, nicht proportionale Schrift.	<tt>Text steht z. B. in Courier</tt>

Nummerierung und Aufzählungszeichen

Sie wollen Listen und Aufzählungen erzeugen? Immer zu! Doch Spiegelstriche waren gestern: Was Ihre Textverarbeitung kann, geht in HTML schon lange.

1 Die einzelnen Listenpunkte werden von <li></li> „eingekleidet", wobei *li* für list item steht, für Listeneintrag.

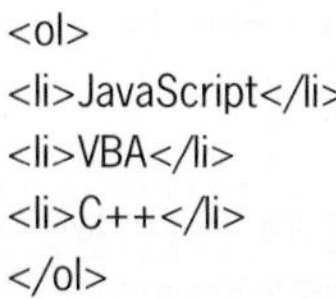

```
<ol>
<li>JavaScript</li>
<li>VBA</li>
<li>C++</li>
</ol>
```

2 Eine Nummerierung beginnt mit <ol> und endet mit </ol>, diese Tags bilden sozusagen die Klammer für Ihre Liste. Die Zeichenfolge *ol* steht für ordered list, geordnete Liste. Die einzelnen Listenpunkte werden dabei automatisch durchnummeriert.

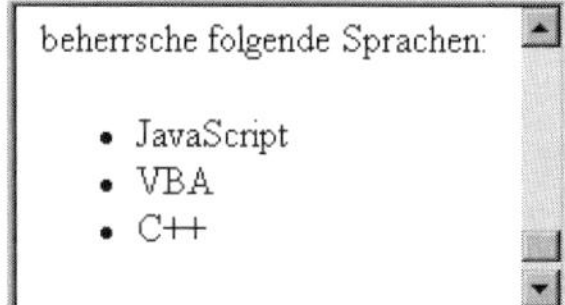

3 Eine Aufzählung beginnt mit <ul> und endet mit </ul>. In HTML werden dafür die so genannten Bullets gesetzt, kleine „Kullern". Mit *ul* ist übrigens eine unordered list gemeint.

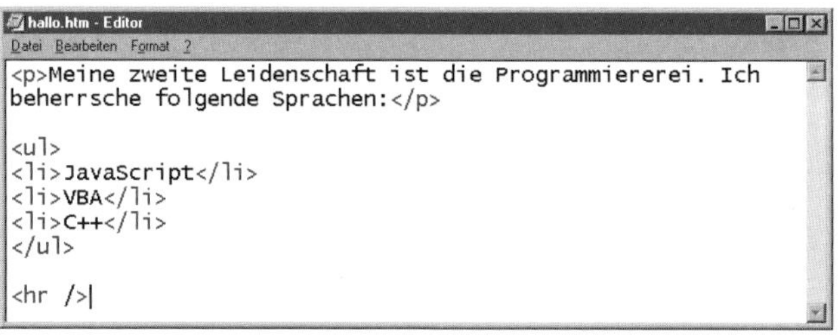

Auch in unserem Beispiel soll noch eine Liste eingefügt werden. Setzen Sie einfach folgende Zeilen in Ihr Dokument. Hans Hallmeyer hat sich für <ul></ul> und damit für eine einfache Aufzählung mit Bullets entschieden. Auch für Listen existieren unzählige Attribute. Wählen Sie individuelle Aufzählungszeichen aus. Bestimmen Sie für die Nummerierung einen Standardwert. Die Möglichkeiten sind schier unbegrenzt. Im Referenzteil im Anhang finden Sie eine Übersicht!

Für die Optik: Mit HTML gestalten

Nutzen Sie weitere Möglichkeiten von HTML. Verändern Sie Schriftart, -größe und -farbe. Ich verrate Ihnen an dieser Stelle kurz einige Möglichkeiten!

Schriftart, -farbe und -größe ändern

In HTML ist normalerweise keine Schriftart vorgegeben: Sie haben es längst gemerkt. Der Browser zeigt Ihre Seiten in Times oder Times New Roman an.Doch wie ändert man Schriftart und -farbe nach seinem eigenen Gusto?

1 In alten HTML-Versionen war noch der so genannte <font>-Tag erlaubt. Sie umschlossen die zu gestaltenden Passagen einfach mit <font></font>.

2 Der <font>-Tag kann folgende Attribute annehmen:

- *face*, geben Sie einen Schriftartnamen an.
- *size*, Schriftgröße in Stufen von 1 bis 7, Normalwert 3.
- *color*, Farbname wie *blue* (blau), *red* (rot) usw.

3 Sie wollten eine Passage beispielsweise rot einfärben, eine Stufe größer darstellen und mit der Schriftart Arial anzeigen? Dann schrieben Sie früher in HTML:

```
<font face="Arial" size="4" color="red">Das ist der Text</font>
```

4 Die Entwickler von HTML lehnen den <font>-Tag inzwischen ab und empfehlen Style Sheets als Alternative. In XHTML wurde <font> komplett abgeschafft. Deshalb gehe ich auf <font> an dieser Stelle nicht weiter ein.

Über Style Sheets kläre ich Sie weiter hinten im Buch noch ausführlich auf. Dort zeige ich Ihnen, wie Sie Ihre Schrift auf „moderne Weise" gestalten können. Also, weiterlesen!

Leerzeilen erzeugen

Hoppla, haben Sie etwa schon probiert, Leerräume zwischen Ihren Absätzen zu erzeugen? Sie dachten es ginge, wenn man mehrere leere Absätze untereinander schreibt? Und zwar so?

```
<p></p>
<p></p>
```

1 Pustekuchen! Mehr als ein „leerer" Absatz wird nicht interpretiert. Das ist leider so.

2 Die Betonung liegt auf „leer". Der Trick: Füllen Sie den Absatz einfach, und zwar mit einem geschützten Leerzeichen ( ). Schreiben Sie

```
<p> </p>

<p> </p>
```

Sie bekommen die schönsten Leerräume, die man sich vorstellen kann.Die beste Lösung sind jedoch wieder die schon erwähnten Style Sheets. Nutzen Sie hier das Attribut *margin* bzw. *padding*.

Info

Geschütztes Leerzeichen

Normalerweise dient ein „non breaking space" dazu, Wortbestandteile „festzukleben", beispielsweise 1. Mai. So verhindern Sie, das Zahl und Wort bei einem Zeilenumbruch auseinander gerissen werden.

Bilderalbum: Fotos, Farben und Grafiken

Eine Webseite ohne Grafiken? Wie langweilig! Binden Sie Bilder und Fotos in Ihre Webseiten ein. Arbeiten Sie mit schicken Hintergrundfarben und -effekten. Stellen Sie Ihre eigene Fotogalerie ins Web.

Bescheiden wie wir nun einmal sind, fangen wir mit einer Grafik an. Doch wie immer folgen zuerst ein paar theoretische Vorbemerkungen.

Formate im Blick: Von GIF bis Webpalette

Sie scannen Ihre Urlaubsfotos ein? Sie übernehmen die Bilder direkt von der Digitalkamera? Sie kennen sich mit Ihrer Bildbearbeitung aus? Wunderbar, dann kann ja kaum etwas schief gehen!

Eine Kleinigkeit noch: Grafiken für das Web müssen in den Formaten GIF, JPEG (oder PNG) vorliegen. Formate wie BMP oder TIF sind nicht geeignet!

Info

Ist Ihr Grafikprogramm tauglich?

Welches Grafikprogramm verwenden Sie? Adobe PhotoShop? Ulead Photo Impact? Corel PhotoPaint? Jasc Paint Shop Pro? Dann sind Sie auf jeden Fall „auf der sicheren Seite". Sie verwenden ein anderes Programm und wissen nicht, ob das Tool zum Erstellen von Webgrafiken taugt? Schauen Sie einfach nach, ob diese Formate angeboten werden. Wählen Sie *Datei/Speichern unter*. Schauen Sie in das Listenfeld unter *Dateityp*. Hier sollten Sie Einträge wie **.gif*, **.jpg* oder **.jpeg* vorfinden. Hinweis: Falls Sie sich ernsthaft mit der Gestaltung von Webseiten beschäftigen, kommen Sie um den Erwerb eines guten Grafikprogramms nicht herum. Rundum empfehlenswert ist Paint Shop Pro. Es bietet einen Funktionsumfang, der fast an den des fünfmal teureren „großen Bruders" PhotoShop heranreicht.

Vor- und Nachteile der Grafikformate

Zuerst informiere ich Sie am besten über Vor- und Nachteile der einzelnen Grafikformate, denn gerade bei diesem Thema tauchen die meisten Fragen auf.

1 Klären wir zuerst, was es mit den Grafikformaten auf sich hat. Danach erhalten Sie meine persönlichen Empfehlungen. Folgende drei Grafikformate sind derzeit für das Web geeignet.

Grafikformat	GIF	JPG	PNG
Farbenzahl	Maximal 256.	Maximal 16,7 Mio. (TrueColor).	Maximal 16,7 Mio. (TrueColor).
Hintergrund-transparenz	Möglich.	Nicht möglich.	Möglich.
Geeignet für	Fotos, „Textgrafiken“, animierte Banner.	Hochqualitative Fotos.	Textgrafiken, Animationen, hochqualitative Fotos.
Bemerkungen	Mehrere Grafiken lassen sich in einer speichern, so kann eine GIF-Animation erzeugt werden.	Kompressionsfaktor in Stufen regelbar, Kompression mit hohem Qualitätsverlust.	Wird nur von neueren Browsern unterstützt.

2 Ich rate Ihnen zum altehrwürdigen GIF-Format. GIF-Dateien sind klein und Platz sparend. Mir gefällt außerdem die Möglichkeit, eine Hintergrundtransparenz einzustellen. Vergleichen Sie die Abbildungen. In der rechten Grafik wurde die Hintergrundfarbe auf *transparent*, auf durchscheinend gestellt.

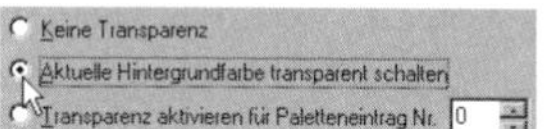

3 Wie stellen Sie die Hintergrundtransparenz ein? Das hängt von Ihrem Grafikprogramm ab. In Paint Shop Pro wählen Sie im Menü *Farben* den Befehl *Farbtransparenz einstellen*. Klicken Sie vor *Aktuelle Hintergrundfarbe transparent schalten*. Wählen Sie *OK*.

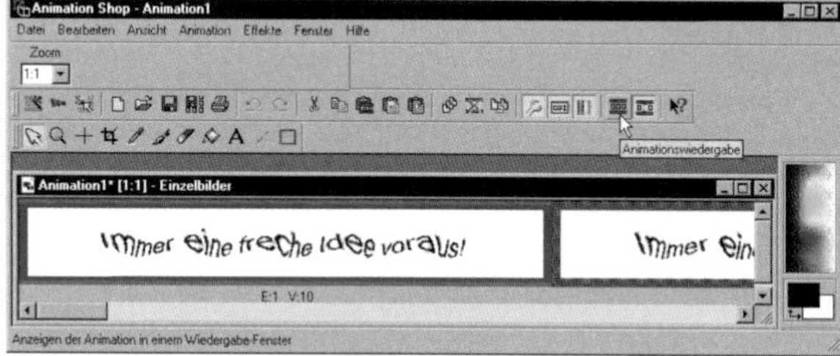

4 Und noch ein Vorteil spricht für GIF: Mit einem Trick lässt sich GIF zum Erstellen von Animationen und Bannern „missbrauchen“. Paint Shop Pro besitzt ein Zusatzprogramm namens Animation

Shop. Hier können Sie wie in einem Film das Banner aus lauter Einzelbildern zusammensetzen. Auch mit anderen Programmen wie dem Ulead GIF-Animator oder dem kostenlosen StarOffice (www.sun.com/staroffice) können Sie animierte GIF-Dateien erstellen.

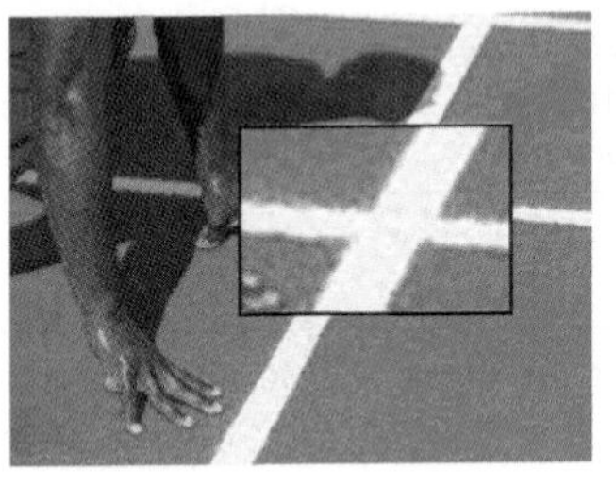

5 Und was machen Sie bei hochqualitativen Fotos, wo es um Millionen von Farben geht? Dann verwenden Sie das JPG-Format. Allerdings kommt es bei JPG vor allem bei hoher Kompression zu Bildverfälschungen, den Artefakten. Sie sehen ineinander verlaufende Farbsäume. Um Ihnen das zu demonstrieren, habe ich in dieser JPG-Grafik einen Bereich vergrößert. Diese hässlichen Verluste gibt es beim GIF-Format nicht.

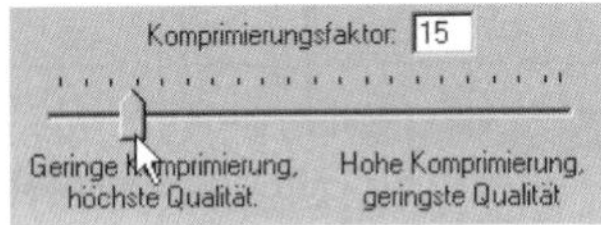

6 Sie nutzen JPG? Finden Sie in Ihrem Grafikprogramm einen Kompromiss zwischen Komprimierung und Qualität! In Paint Shop wählen Sie im *Speichern*-Dialog einfach die *Optionen*-Schaltfläche. Dann können Sie mithilfe eines Schiebereglers wählen, ob Sie lieber stark oder weniger stark komprimierte Grafiken wünschen.

Zwar vereint das PNG-Format die Vorteile von GIF und JPG. Derzeit rate ich Ihnen von der Verwendung jedoch noch ab. Das neue PNG-Format wird noch nicht von allen Browsern unterstützt, Sie benötigen gegebenenfalls ein Plug-In.

Sichere Webpalette

Da wir gerade so angeregt über Grafiken und Grafikformate philosophieren, sollte ich Ihnen flugs noch etwas zu den Farben erzählen!

1 Ob Sie's glauben oder nicht: Jeder Rechner stellt Ihre Farben etwas anders dar! Das hängt nicht nur vom Rechner, sondern auch vom Betriebssystem ab. Auf dem Mac erscheinen die

Farben beispielsweise anders als auf dem PC, vor allem heller.

2 Aber auch die eingestellte Farbtiefe spielt eine Rolle. Sie haben ein JPG-Foto mit 16,7 Millionen Farben? Der Betrachter hat auf seinem Rechner jedoch nur eine Farbtiefe von 256 oder gar 16 Farben gewählt? Dann werden die nicht anzeigbaren Farben „gedithert", es werden ähnliche Farben angezeigt. Das Bild wird stark verfälscht! Vergleichen Sie mit der Abbildung. So sieht eine Grafik aus, die auf einem Rechner mit zu geringer Farbtiefe angezeigt wird.

3 Aber auch bei Beschränkung auf das GIF-Format mit 256 Farben können Sie nicht davon ausgehen, dass jede Farbe so abgebildet wird, wie Sie es sich vorstellen. Aus diesem Grund wurde die so genannte „sichere Webpalette" eingeführt. Es handelt sich um die 216 Farben, die auf allen Rechnern annähernd ähnlich aussehen.

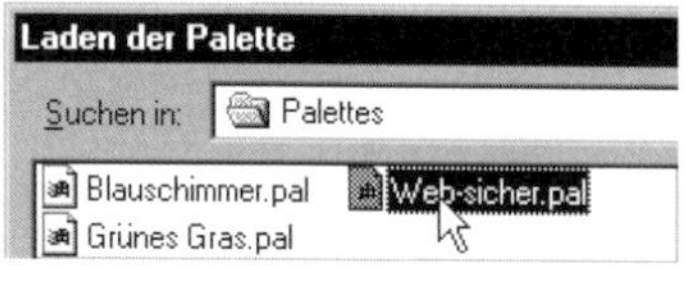

4 Bessere Grafikprogramme erlauben Ihnen, Ihre Grafiken mit dieser „sicheren Palette" zu verbinden. In Paint Shop Pro wählen sie im Menü *Farben* den Befehl *Bildpalette öffnen*. Gehen Sie in den Ordner *Palettes*, Sie finden ihn in der Regel unter *Programme/Paint Shop Pro 6*. Doppelklicken Sie auf den Eintrag *Web-sicher.pal*. Und schon werden abweichende Farben durch die der sicheren Webpalette ersetzt.

Mit diesem Wissen ausgerüstet dürfte es Ihnen überhaupt nicht mehr schwer fallen, die Grafiken vorzubereiten bzw. das richtige Farbschema zu wählen.

Scannen und Nachbearbeiten der Fotos

An dieser Stelle schnell noch ein paar Tipps zum Scannen und Nachbearbeiten der Fotos. Ich zeige es Ihnen am Beispiel des Grafikprogramms Paint Shop Pro. Falls Sie nicht mit Paint Shop Pro arbeiten, gehen Sie einfach sinngemäß vor!

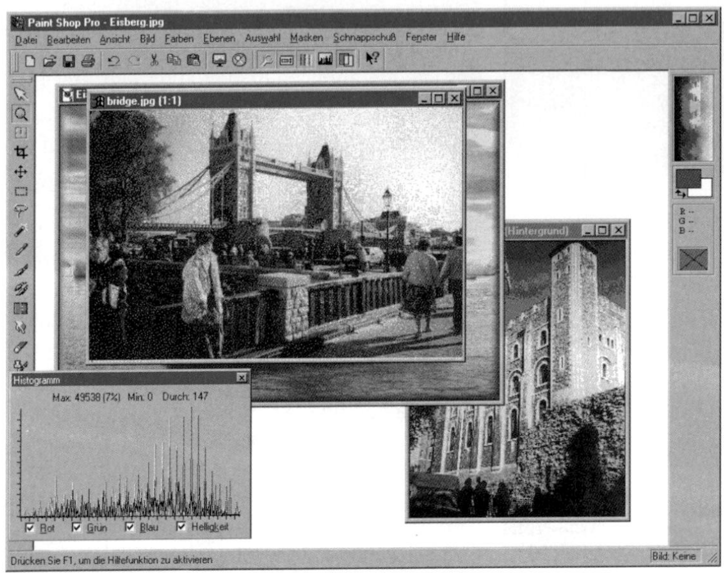

Info

Paint Shop Pro sehr empfehlenswert

Sie haben noch kein Grafikprogramm und wollen für relativ wenig Geld in die Oberklasse aufsteigen? Ganz hervorragend zum Nachbearbeiten und Umwandeln von Grafiken eignet sich das preisgekrönte Bildbearbeitungsprogramm Paint Shop Pro. Paint Shop Pro arbeitet mit allen gängigen Scannern und Digitalkameras zusammen und besitzt mit Animation Shop sogar ein Animationsprogramm für die Erstellung von Bannern. Derzeit aktuell ist die Version 6, die Version 7 liegt zum Zeitpunkt des Schreibens „in den Startlöchern". Paint Shop Pro kostet im Handel ca. 300 DM. Das Programm kennt die Ebenentechnik, arbeitet neuerdings auch als Vektorgrafikprogramm und kann sogar im Vierfarbenformat speichern. Paint Shop Pro ist ein sehr schnelles und trotzdem genügsames Tool. (Ganz im Gegensatz zu Boliden wie Microsoft Photo Draw.) Eine kostenlose Demoversion von Paint Shop bekommen Sie unter www.jasc.com. Als alter „PSP-Hase" empfehle ich Ihnen das Programm mit gutem Gewissen! Ich führe Ihnen einige Grafiktechniken am Beispiel der aktuellen Version von Paint Shop Pro vor.

1 Sie wollen eine Grafik scannen? Wählen Sie im Menü *Datei* den Befehl *Import*. Klicken Sie auf *TWAIN* und auf *Einlesen*.

2 Nun erscheint der Dialog zum Scannen. Dieser sieht je nach Scannermodell an-ders aus. In der Regel wird zuerst der so genannte Prescan durchgeführt. Wählen Sie dann den gewünschten Bildausschnitt. Entscheiden Sie sich für eine geringe Auflösung. Bei Grafiken für das Web sind 72 dpi völlig ausreichend.

3 Bearbeiten Sie Ihr Foto nun in der Bildbearbeitung nach. Wählen Sie in Paint Shop Pro *Farben/Farbeinstellungen*. Hier können sie Farbe, Helligkeit, Kontrast usw. wunschgemäß einstellen.

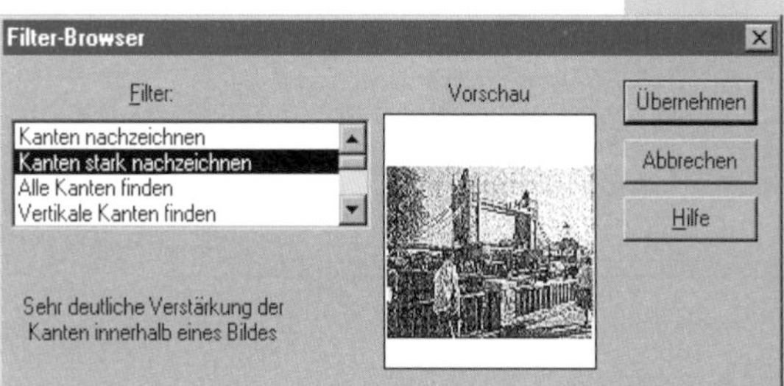

4 Probieren Sie die verschiedenen Effektfilter aus. Wählen Sie im Menü *Bild* den Befehl *Effekte*. Probieren Sie auch einmal den Filter-Browser. Egal ob Mosaik, Wachsabdruck oder Kohlezeichnung – alles ist möglich!

5 Ebenfalls empfehlenswert ist der Schärfenfilter. Wählen Sie *Bild/Bildschärfe*, klicken Sie beispielsweise auf *Scharfzeichnen*.

Legen Sie Ihre Bilddateien am besten in dem Ordner ab, in dem sich die HTML-Datei befindet.

Binden Sie Ihre Grafik in HTML ein

Das Foto ist fertig, prima. Und nun? Jetzt binden Sie es in Ihr Dokument ein! Sie werden staunen, wie einfach das vonstatten geht. Hauptsache, das Bild liegt in einem der oben genannten Dateiformate vor.

Nach dem Lesen der nächsten Seiten ist das Erstellen einer Bildergalerie nur noch ein Kinderspiel für Sie!

Grafik als Verweis einbinden

Ich zeige Ihnen, wie einfach das Einbinden der Grafik gelingt. So viel schon vorweg: Grafiken werden nicht direkt im HTML-Dokument gespeichert. Sie setzen lediglich einen Verweis auf die Datei.

Info

Dateiname ist wichtig!

Ich erinnere noch einmal daran: Der Dateiname darf keine Leerzeichen und Umlaute enthalten. Achten Sie außerdem auf Groß- und Kleinschreibung. Ihrem heimischen Windows-PC ist es egal, ob Sie die Grafik *Tower.gif* oder *tower.gif* genannt haben. Auch wenn Sie die Datei unter dem Namen *tower.gif* einbinden, klappt die Anzeige auf jeden Fall. Auf Webservern (UNIX-Dateisystem) wird jedoch streng zwischen Groß- und Kleinschreibung unterschieden. Im Zweifelsfalle sieht der Surfer kein Bild und wundert sich! Ich rate deshalb grundsätzlich und durchweg zur Kleinschreibung und zu möglichst kurzen Dateinamen.

Binden Sie Ihre Grafik in HTML ein

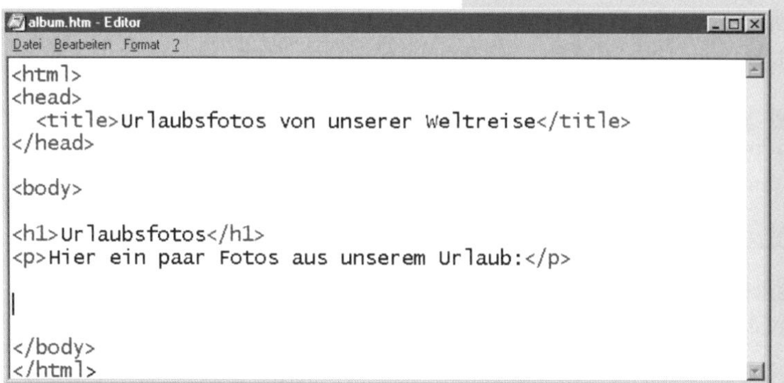

1 Soweit habe ich das Beispieldokument bisher vorbereitet. Der Cursor blinkt an der Stelle, an der die Grafiken eingefügt werden sollen.

2 Legen Sie die Grafik am besten in den gleichen Ordner wie die HTML-Datei. Im Beispiel handelt es sich um die Dateien *tower.gif* und *bridge.jpg*. Die HTML-Datei selbst heißt *album.htm*.

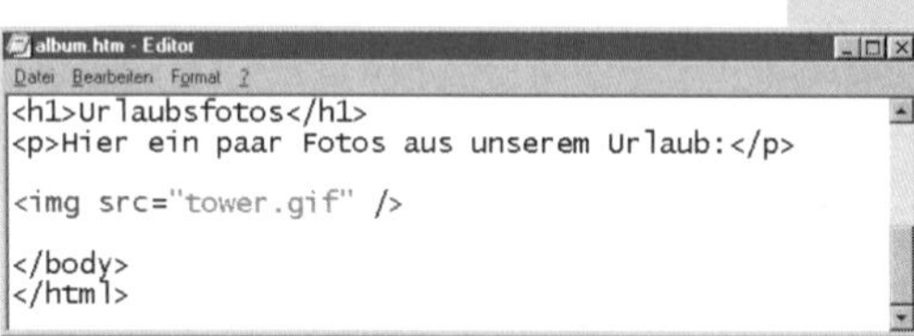

3 Wir setzen zuerst einen Verweis auf die Datei *tower.gif*. Nutzen Sie den <img>-Tag (*img* steht für **im**a**g**e wie Bild). Verwenden Sie es ihn Zusammenhang mit dem Attribut *src* (für **s**ou**rc**e, Quelle). Schreiben Sie im HTML-Dokument einfach:

```
<img src="tower.gif" />
```

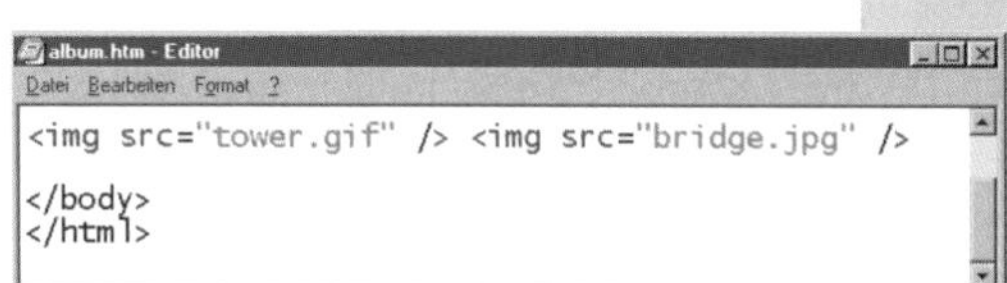

4 Wenn Sie wollen, können Sie nach diesem Muster die zweite Grafik einfügen, im Beispiel *bridge.jpg*. Das war alles! Speichern Sie die HTML-Datei und betrachten Sie die Vorschau! Ist das Browserfenster breit genug? Dann werden beide Grafiken nebeneinander angezeigt.

Und warum müssen Sie Leerzeichen und Schrägstrich setzen? Das liegt daran, dass <img> normalerweise keinen End-Tag benötigt. Da solche Tags in XHTML trotzdem abgeschlossen werden müssen, wählt man diese Schreibweise.

Durch das Leerzeichen „denken“ ältere Browser, der Slash wäre ein zusätzliches Attribut. Sie ignorieren diesen „unbekannten“ Schrägstrich.

Natürlich können Sie auch Leerzeichen und Slash weglassen und folgen damit nicht XHTML, sondern dem älteren HTML4-Standard.

Grafik ausrichten

Die Ausrichtung von Grafiken ist recht problematisch. Normalerweise benimmt sich die Grafik wie ein Zeichen, zugegeben, wie ein riesiges Zeichen.

Sie haben kein Attribut in den <img>-Tag eingefügt? Wenn Browserbreite und Bildgröße es zulassen, werden mehrere Grafiken nebeneinander angezeigt. Der übrige Text rutscht beiseite, es findet kein Textfluss statt.

Sie möchten, dass der übrige Text um die Grafik fließt? Dann ergänzen Sie einfach das Attribut *align*. Folgende Varianten sind möglich:

- *<img src="tower.gif" align="left" />*, Text fließt rechts um die Grafik.
- *<img src="tower.gif" align="right" />*, Text fließt links um die Grafik.

Eine Zentrierung direkt im <img>-Tag ist nicht möglich. Ich zeige Ihnen das Prinzip anhand einer einzelnen Grafik.

1 In dieser Abbildung wurde die Grafik links ausgerichtet. Der Text fließt rechts daran vorbei und – wenn es viel Text ist – drum herum. Dazu schreiben Sie in folgender Syntax:

```
<img src="bridge.jpg" align="left" /
    >Natr&uuml;rlich fuhren wir ...
```

Hier ein paar Fotos aus unserem Urlaub:

Natürlich fuhren wir auch durch London und besichtigten die Towerbridge. Sie verbindet die Stadtteile Tower Hill und Bermondsey. Wußten Sie, dass diese Brücke über

hundert Jahre alt ist? Erbaut wurde sie von Sir Horace Jones.

2 Und so sieht das Ganze in der rechtsbündigen Variante aus. Verwenden Sie das Attribut *align="right"*. Beachten Sie stets, dass der Umbruch von der Breite des Browserfensters abhängt. Sie können also vorher nicht exakt festlegen, wie das Erscheinungsbild im Browser aussehen soll. Der Quelltext sieht sinngemäß so aus.

```
<img src="bridge.jpg" align="right" /
Natr&uuml;rlich fuhren wir ...
```

Natürlich fuhren wir auch durch London und besichtigten die Towerbridge. Sie verbindet die

3 Wie schon erwähnt: Ohne das Attribut *align* findet kein Textfluss statt. Die Grafik benimmt sich wie ein (riesiges) Zeichen. Wenn Sie jetzt Text ergänzen, sieht das so aus.

4 Sie wollen beide Grafiken jedoch untereinander setzen? Dann lassen Sie das Attribut *align* einfach weg. Setzen Sie jedoch jede Grafik in einen eigenen Absatz.

```
<p><img src="tower.gif" /></p>
<p><img src="bridge.jpg" /></p>
```

5 Selbstverständlich können Sie nun auch die einzelnen Absätze linksbündig, rechtsbündig oder sogar zentriert ausrichten. Setzen Sie einfach *align="left"*, *align="right"* bzw. *align="center"* in den <p>-Tag. Bei folgendem Beispiel wird die erste Grafik zentriert, die zweite dagegen linksbündig ausgerichtet.

```
<p align="center"><img src="tower.gif" /></p>
<p><img src="bridge.jpg" /></p>
```

Info

Exakte Ausrichtung per Tabelle

Doch was machen Sie, wenn der Text links und rechts um die Grafik fließen soll? Oder wenn Sie das Bild exakt an einer ganz bestimmten Stelle ausrichten möchten? Dann können Sie mit einem Trick arbeiten: Setzen Sie die Grafik in eine (unsichtbare) Tabelle! Mehr zu Tabellen erfahren Sie im Tabellenkapitel.

Auch wichtig: Breite, Höhe und Alternativtext

Zurück zum Beispiel mit den zwei Grafiken! Zugegeben, die Anweisung *<img src="Grafikname" />* genügt vollkommen zum Einfügen der Datei.

Trotzdem ist es gute Praxis, außerdem noch Breite, Höhe und einen Alternativtext anzugeben.

Info

Breite und Höhe

Ermitteln Sie Breite (*width*) und Höhe (*height*) der Datei vorher in Ihrem Grafikprogramm. In Paint Shop Pro können Sie diese wichtigen Angaben beispielsweise aus der Statuszeile entnehmen. Klicken Sie Ihre Grafik an und lesen Sie die Angaben im rechten unteren Fensterbereich ab. Auch die Farbenzahl erfahren Sie hier.

1 Bisher besitzt die Grafik keine Attribute.

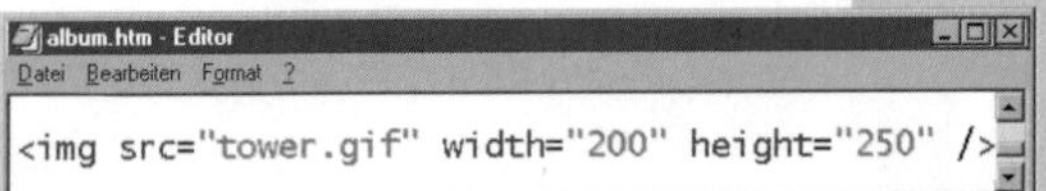

2 Ergänzen Sie die Attribute *width* und *height*. Tragen Sie die entsprechenden Werte in Pixeln ein.

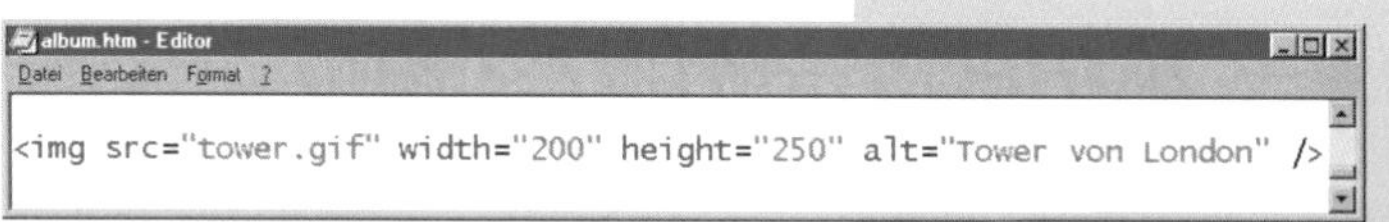

3 Der Alternativtext (Attribut *alt*) wiederum ist dann wichtig, wenn der Surfer die Grafikanzeige abgeschaltet hat. Tragen Sie einen beschreibenden Text als Attributwert ein. Im Beispiel lautet dieser *Tower von London*.

4 Der Alternativtext (Attribut *alt*) ist nicht nur dann wichtig, wenn der Surfer die Grafikanzeige abgeschaltet hat. Er sieht stattdessen den Text. Auch bei eingeschalteter Grafikanzeige hat *alt* Vorteile: Wenn man den Mauszeiger kurz über einer Grafik parkt, wird eine gelbe „Kurzinfo" sichtbar.

Info

Width und height verhindern Springen der Grafik!

Die Größenangaben haben weitere Vorteile: Durch *width* und *height* weiß der Browser schon, bevor die Grafik aufgebaut ist, welchen Platz er reservieren soll. Fehlen diese Angaben, erhält man häufig den hässlichen Effekt des „Springens" von Grafiken. Das Layout einer Seite steht erst dann still, wenn alle Grafiken eingelesen wurden.

Sie arbeiten mit einem Quelltext-Editor wie Homesite oder 1st Page?

Dann brauchen Sie die Grafik nur aus dem linken Bereich des Programms in Ihr HTML-Dokument zu ziehen.

Ganz automatisch ermittelt das Programm Breite und Höhe und fügt diese Angaben in Ihre Datei mit ein.

Selbstverständlich wählt das Programm die korrekte Syntax zum Einfügen der Grafik.

Mustertapete: Hintergrundfarbe und -grafik

Farbe für Ihre Homepage? Hintergrundgrafiken? Na klar! Bohren Sie den <body>-Tag mit mehreren Attributen auf. Fügen Sie diese einfach in den Tag ein. Hier alle Tricks im Überblick:

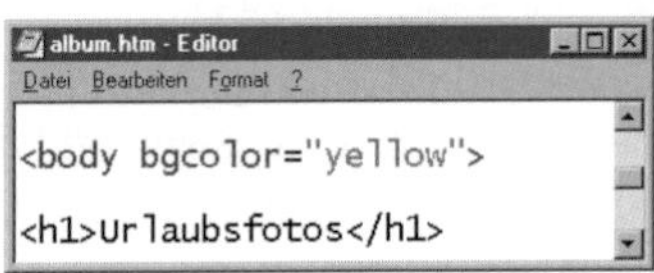

1 So sorgt das Attribut *bgcolor* beispielsweise für eine Hintergrundfarbe. Die Seite soll ganz in Gelb erscheinen? Erweitern Sie den <body>-Tag. Schreiben Sie einfach:

```
<body bgcolor="yellow">
```

Urlaubsfotos

Hier ein paar Fotos aus unserem Urlaub:

2 Das Ergebnis: Die Hintergrundfarbe wechselt von Weiß (bei älteren Browsern grau) nach Gelb.

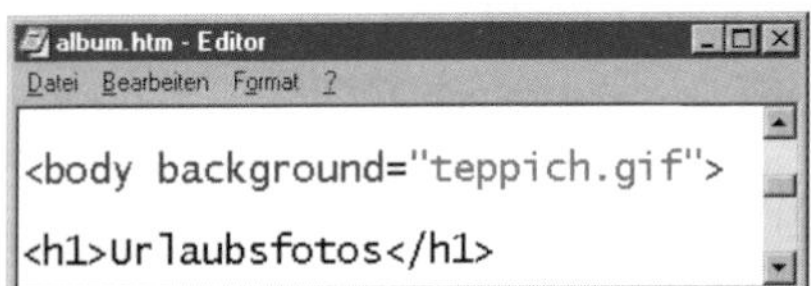

3 Und wie gelingt Ihnen das mit der Hintergrundgrafik für die Seite? Auch ganz einfach! Setzen Sie lediglich das Attribut *background* in den <body>-Tag. Schreiben Sie nach dem Motto *<body background="Grafikname">*. Die Grafik heißt *teppich.gif*? Dann schreiben Sie.

```
<body background="teppich.gif">
```

4 Auch dabei wird die Grafik per Verweis wieder in die Seite eingebunden. Übrigens gilt: Wenn die Grafik kleiner als der Bildschirm ist, wird sie stets wiederholt, gekachelt. Es ergibt sich der Eindruck eines „Teppichmusters". Diesen Effekt nutzt man bei speziellen Texturen. Texturen sind kleine Grafiken, die sich immer wieder nahtlos an sich selbst anschließen und so ein Teppichmuster ergeben.

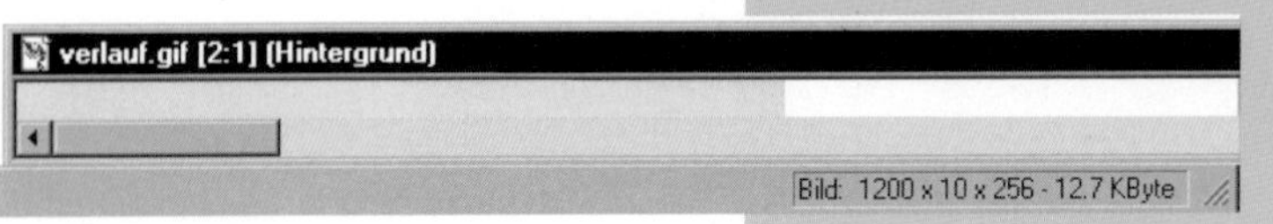

5 Sie wünschen einen Farbverlaufeffekt? Erstellen Sie eine zweifarbige Grafik, die nur wenige Pixel hoch ist. Wählen Sie jedoch eine möglichst große Breite, beispielsweise 1.200 Pixel.

6 Die Grafik kann sich wegen Ihrer Breite nur nach unten wiederholen. Dadurch ergibt sich der Effekt zweier Farbflächen.

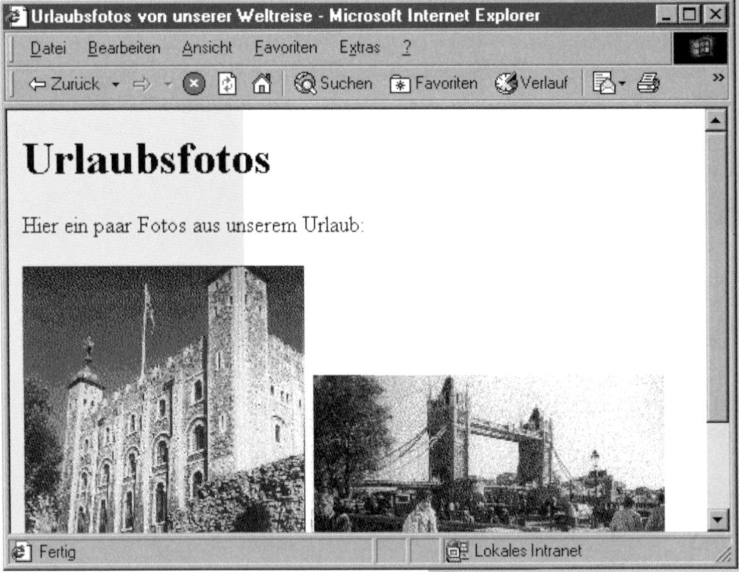

Wichtig zu wissen: Eine über *background="Grafikname"* eingebundene Grafik überschreibt die Hintergrundfarbe!

Info

Texturen als Hintergrundmuster

Die ganze Seite voller Wassertropfen oder mit Packpapiereffekt? Nicht schlecht: Solch ein Hintergrundmuster wird durch eine Grafik erzielt, die sich nahtlos an sich selbst anschließt. Man spricht in diesem Zusammenhang von Texturen. Auch dieses Bild muss nur wenige Pixel groß sein.

Viele Grafikprogramme bringen Ihnen etliche vorgefertigte Texturen mit. Hier als Beispiel eine Textur aus Paint Shop Pro, die ich im GIF-Format abgespeichert und über die Anweisung *<body background="packpapier.gif">* in die Seite eingebunden habe. (Falls Sie keine Texturen besitzen: Surfen Sie einmal im Web und suchen Sie nach dem Stichwort *texturen* bzw. *textures*.)

Mehr Pepp: Grafiktricks für Profis

Leistungsfähige Programme wie Paint Shop Pro bieten Ihnen interessante Möglichkeiten, die Homepage spannender zu gestalten.

Umranden Sie Ihre Bilder. Sorgen Sie dafür, dass sich Ihre Grafiken erst langsam aufbauen.

1 Sie wollen einen Rahmen um die Grafik legen? Fügen Sie das Attribut *border* in den <img>-Tag ein. Geben Sie als Wert die Rahmengröße in Pixeln an. Hier erhält die Grafik einen Rahmen von 3 Pixeln Größe.

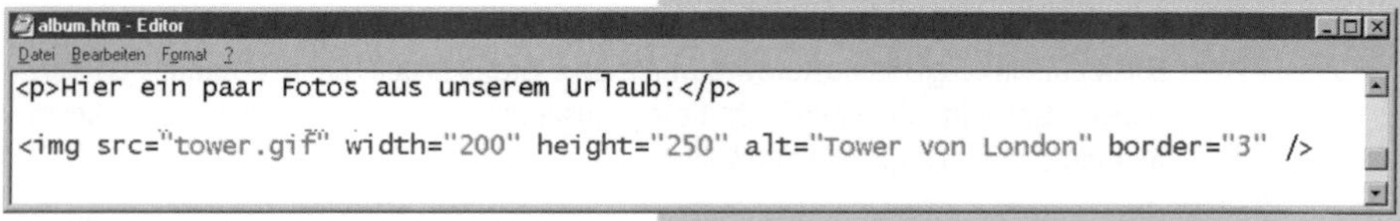

2 Vergleichen Sie mit der Abbildung: Standardmäßig wird der Rahmen als „schwarzer Trauerrand" angezeigt.

3 Haben Sie auch schon bemerkt, dass sich auf manchen Seiten die Grafiken erst langsam aufbauen? Zuerst erscheinen sie verschwommen, bis sie immer klarer werden. Diesen Effekt können Sie auch erzielen! Bei GIF-Bildern wird das Ganze durch die Eigenschaft *interlaced* (phasenweise, „scheibchenweise") erreicht. Bei JPG-Grafiken ist eine als *progressive* bezeichnete Eigenschaft dafür verantwortlich.

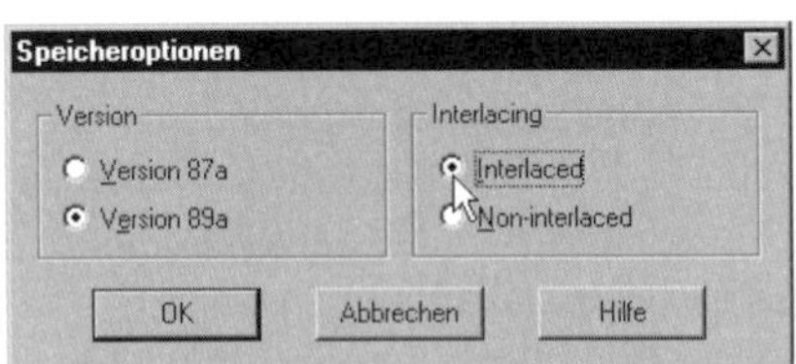

4 Wählen Sie in Paint Shop Pro einfach *Datei/Speichern unter*. Entscheiden Sie sich für den betreffenden Dateityp. Klicken Sie dann auf *Optionen*, um die Eigenschaft einzustellen. Klicken Sie beispielsweise vor *Interlaced* und wählen Sie *OK*.

Wo laufen Sie denn ... Animationen und Banner

Wie wäre es mit Animationen und Bannern? Das ist gar nicht schwer! Zugegeben, mit HTML oder (X)HTML allein kommen Sie nicht zum Ziel. Aber das GIF-Format hilft Ihnen!

Mit etwas Geschick können Sie ganz ohne Programmierung ein interessantes Banner oder einen ganzen Trickfilm „zaubern".

Paint Shop Pro wird zusammen mit einem sehr leistungsfähigen Animationsprogramm ausgeliefert. Animation Shop (in Paint Shop Pro 6/7 enthalten) besitzt sogar Assistenten zum Erstellen eines Textbanners. Ich zeige Ihnen anhand von Paint Shop Pro 6 ganz kurz, wie Sie am besten vorgehen.

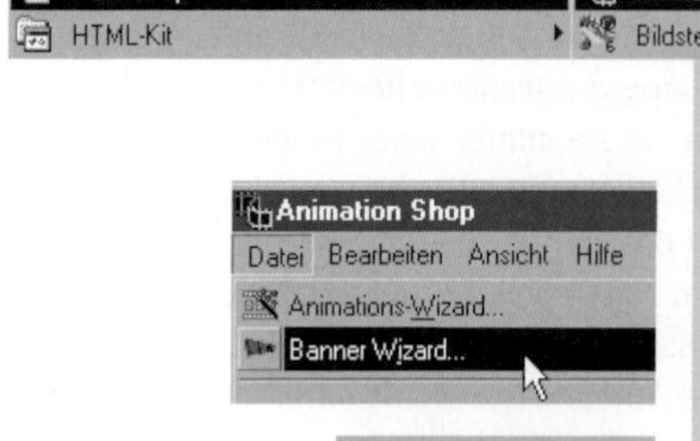

1 Rufen Sie Animation Shop auf, beispielsweise über *Start/Programme/Paint Shop Pro 6/Animation Shop 2.*

2 Wählen Sie *Datei/Banner Wizard.*

3 Entscheiden Sie sich für den gewünschten Hintergrund. Wählen Sie beispielsweise *Transparenter Hintergrund*. Oder Sie wählen *Gedeckter Hintergrund*. Klicken Sie dann in das Farbfeld, um die genaue Farbe festzulegen. Klicken Sie auf *Weiter.*

4 Legen Sie in den nächsten Schritten die Größe des Banners und die Anzeigedauer der Einzelbilder fest. Klicken Sie stets auf *Weiter.* Tragen Sie schließlich in das dafür vorgesehene Feld Ihren Text ein. Klicken Sie auf die Schaltfläche *Formatieren*, um *Textgröße und Schriftart* festzulegen.

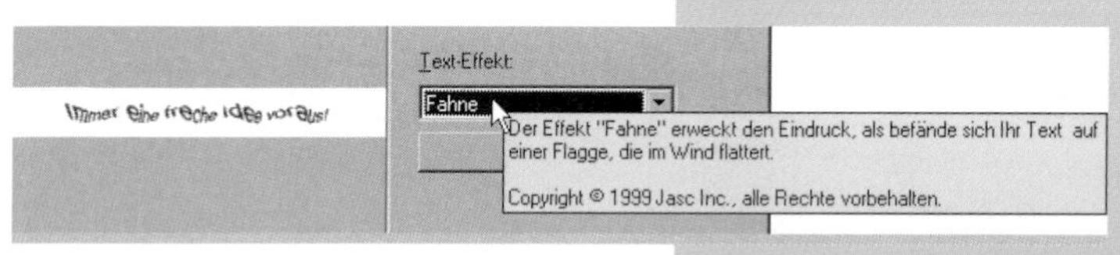

5 Besonders interessant wird es an der Stelle, wo Sie letztlich den Texteffekt festlegen. Suchen Sie sich einen interessanten Effekt aus und begutachten Sie die Vorschau.

6 Klicken Sie auf *Fertig stellen*, wenn Sie alle Schritte geschafft haben. Nun wird Ihnen Ihre Animation in einer Art „Filmstreifen" gezeigt. Sie sehen, dass die Grafik aus lauter Einzelbildern besteht.

7 Sie wollen eine Vorschau anzeigen? Klicken Sie auf *Animationswiedergabe*. Wählen Sie die Schaltfläche *Speichern*, wenn Sie mit Ihrem Ergebnis zufrieden sind. Die Animation wird jetzt korrekt im GIF-Format abgelegt. Dabei entsteht im Endeffekt eine einzige Animationsdatei.

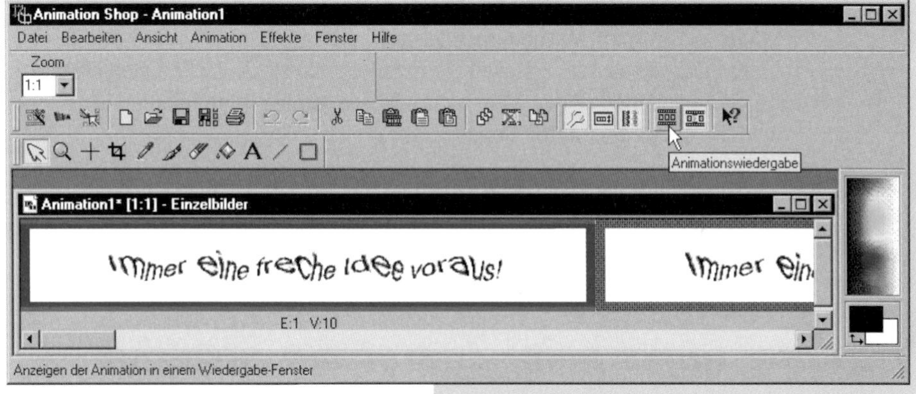

Ich empfehle Ihnen: Experimentieren Sie ein wenig mit Animation Shop herum. Es macht Spaß!

Die Hobby-Site: Interne und externe Hyperlinks

Das Web ist verlinkt! Machen auch Sie sich mit den Hyperlinks vertraut, den berühmten Querverweisen. Erstellen Sie externe und interne Links, Querverweise auf Grafiken, Newsgruppen, Dateien usw. Zerlegen Sie Ihre Bilder in kleine Teile, bauen Sie die so genannten Imagemaps!

Doch zuerst folgt wie immer, Sie ahnen es schon ... etwas Theorie. Ich verrate Ihnen, wie Sie Ihre „Homepage" planen und mit diesem Wissen eine richtige „Onlinepublikation" erstellen.

Planung muss sein: Zuerst die Struktur

Sie wollen ein umfangreicheres Projekt erstellen? Immer zu! Doch ehe Sie drauflos arbeiten, beherzigen Sie unbedingt meine Ratschläge! Planen Sie, damit Ihre erste richtige Webpublikation auch ein voller Erfolg wird!

Im Beispiel geht es um eine Hobby-Homepage zu einem Computerthema. Doch was ist eine Homepage überhaupt?

Info

Homepage versus Website

Im weiteren Sinne ist eine Homepage Ihre Onlinepublikation insgesamt. Wenn man von „Homepage" spricht, meint man die komplette Webpräsenz. Im strengen Sinn ist die Homepage jedoch nur die Startseite Ihrer Publikation, das Deckblatt oder Inhaltsverzeichnis. Dieses wird häufig auch als Home bezeichnet. Denn in der Regel handelt es sich bei Ihrer „Onlinepublikation" nicht nur um eine Seite, sondern um ein ganzes Geflecht von HTML-Dokumenten. Für die komplette Publikation verwenden Fachleute gern den Begriff Website. Das Wort site heißt dabei nicht etwa Seite, sondern steht für „Platz", „Stelle".

Und das sollten Sie berücksichtigen, bevor Sie sich an Ihre Website heranwagen:

1 Eine gute Planung ist wichtig. Greifen Sie zum altehrwürdigen Bleistift. Wie soll die Struktur Ihrer Site aussehen? Machen Sie eine

Skizze auf Papier! Damit es am Anfang nicht zu unübersichtlich wird, beschränken wir uns im Beispiel auf drei Dokumente.

2 Legen Sie zuerst eine Startseite an, die eigentliche Homepage. Beachten Sie dabei, dass diese Startseite den Namen *index.htm* oder *index.html* (Dienstleister fragen!) bekommen muss. Das ist eine Grundregel.

index.htm
links.htm
tipps.htm

3 Alle anderen Seiten können Sie frei benennen, wobei ich kurze Dateinamen in Kleinschreibung empfehle. Auf einer zweiten Seite bieten Sie dem Surfer weiterführende Querverweise (die Links) an. Die dritte Seite ist für interessante Tipps gedacht. Die Seiten heißen im Beispiel *index.htm*, *links.htm* und *tipps.htm*.

Einverstanden, bei drei Seiten mag die Planerei fast überflüssig sein. Doch glauben Sie mir – spätestens bei umfangreichen Projekten verlieren Sie ohne diese Vorarbeit schnell den „roten Faden".

Keine Leerzeichen in Dateinamen verwenden

Verzichten Sie in Datei- und Ordnernamen unbedingt auf Leer- und Sonderzeichen. Greifen Sie gegebenenfalls auf den Unterstrich (_) zurück. Ich empfehle außerdem durchweg Kleinschreibung. Falls Sie doch Großbuchstaben verwenden, müssen Sie diese Schreibweise auch in Querverweisen einhalten!

Verweise innerhalb der Seite

Die Vorarbeit ist geschafft! Wagen Sie sich nun an die drei Beispielseiten. Speichern Sie diese im gleichen Ordner ab. Verbinden Sie diese Seiten dann durch Querverweise miteinander!

Die Seiten erstellen

Zuerst erstellen Sie die Seiten und planen, wie diese miteinander verbunden werden sollen. Danach machen Sie sich über die Hyperlinks her.

```
<html>
<head>
 <title>Serviceseite zu Word</title>
</head>

<body>

<h1>Die Word-Homepage</h1>

<p>Hier finden Sie Tipps, Tricks und interessante
   Querverweise zum Thema Word.</p>

</body>
</html>
```

1 Hier mein Vorschlag für die Startseite *index.htm*. Schreiben Sie das Dokument einfach so ab, speichern Sie es unter dem Namen *index.htm*.

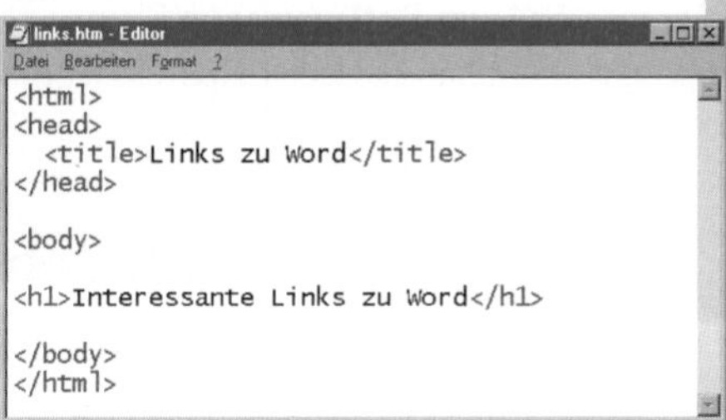

```
<html>
<head>
  <title>Links zu Word</title>
</head>

<body>

<h1>Interessante Links zu Word</h1>

</body>
</html>
```

2 Die Seite *links.htm* sieht bisher so aus, sie wird im Beispiel in den gleichen Ordner gelegt wie *index.htm*.

3 Die Seite *tipps.htm* habe ich ähnlich einfach gestrickt. Zwischen <title></title> schreiben Sie *Tipps und Tricks*, als H1 schlage ich *Tipps und Tricks zu Word* vor.

4 Die drei Seiten haben Sie? Dann geht es zuerst ums Verlinken. Schauen Sie sich das fertige Beispiel schon einmal in einer schematischen Übersicht an. Die Linien verdeutlichen die Beziehungen untereinander.

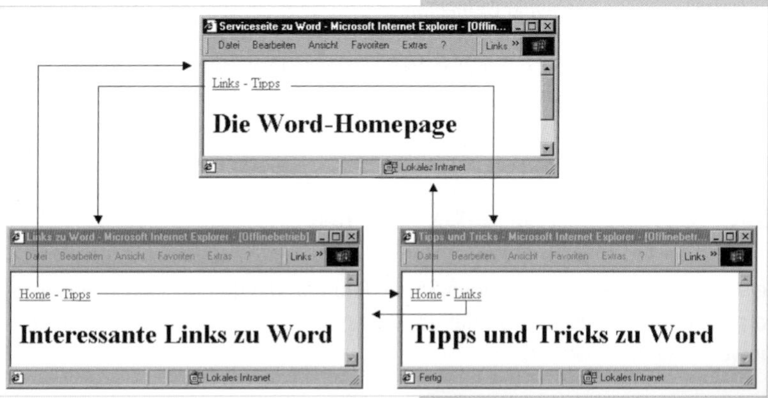

5 Hyperlinks setzt man gern ganz oben auf die Seite, also direkt unter den <body>-Tag.

Hyperlinks setzen

Und wie setzen Sie die Hyperlinks? Das ist auch kein Problem. Dazu benötigen Sie lediglich den Anker-Tag <a>. Im Zusammenspiel mit dem Attribut *src* (**sour**ce, Quelle) gelingt Ihnen der Hypersprung ganz problemlos. Hier die schematische Syntax:

```
<a href="Dateiname">Linkbeschreibung</a>
```

Das Wort *Dateiname* steht als Platzhalter für die Datei, auf die verwiesen wird. Hier setzen Sie in unserem Beispiel jeweils *index.htm*, *links.htm* bzw. *tipps.htm* ein. Die *Linkbeschreibung* können Sie sich aussuchen, ich schlage *Home*, *Links* und *Tipps* vor.

Aber jetzt wieder zur bewährten Schrittfolge. Machen Sie mit!

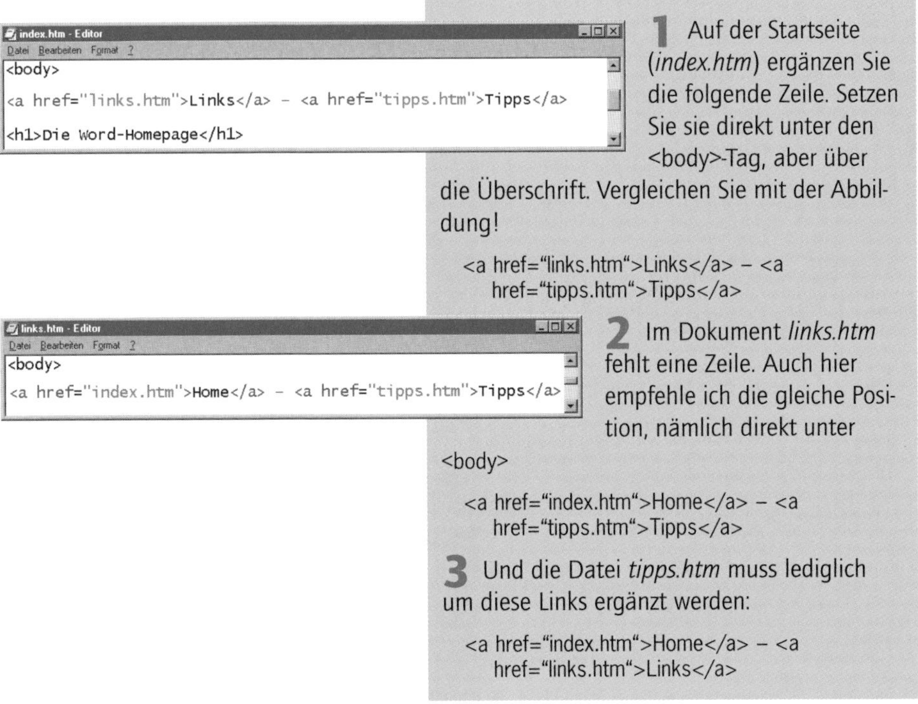

1 Auf der Startseite (*index.htm*) ergänzen Sie die folgende Zeile. Setzen Sie sie direkt unter den <body>-Tag, aber über die Überschrift. Vergleichen Sie mit der Abbildung!

```
<a href="links.htm">Links</a> – <a
   href="tipps.htm">Tipps</a>
```

2 Im Dokument *links.htm* fehlt eine Zeile. Auch hier empfehle ich die gleiche Position, nämlich direkt unter <body>

```
<a href="index.htm">Home</a> – <a
   href="tipps.htm">Tipps</a>
```

3 Und die Datei *tipps.htm* muss lediglich um diese Links ergänzt werden:

```
<a href="index.htm">Home</a> – <a
   href="links.htm">Links</a>
```

Probieren Sie Ihre Seiten aus! Wenn alles geklappt hat, können Sie sich bequem von einer Seite zur anderen „durchklicken". Sie haben die Seiten also miteinander verknüpft, „verlinkt".

Verweise auf Seiten in Unterordnern

Bei unserem Beispiel ist alles ganz einfach, da alle Dateien im gleichen Ordner liegen. Doch schweifen wir einmal kurz ab. Denn auch Verweise auf Seiten in Unterordnern sind möglich! Unterordner sind gerade bei größeren Projekten mit Hunderten von Dateien von Vorteil. Denn gerade, wenn sich alle Dateien in einem Ordner stapeln, wird es unübersichtlich.

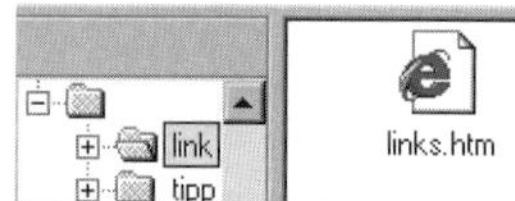

1 Erkunden Sie vorher, ob Ihnen Ihr Dienstleister das Einrichten von Unterordnern gestattet. In manchen Fällen dürfen Sie keine Unterordner anlegen.

2 Doch wie gelingt Ihnen der Verweis auf diese Unterordner? Angenommen, die Seite *links.htm* liegt im Unterordner *hyperlink*, die Seite *tipps.htm* dagegen im Unterordner *tipp*. Die Startseite *index.htm* befindet sich jedoch eine Ordnerebene höher.

3 Die Links auf der *index.htm* sehen dann folgendermaßen aus. Sie verweisen erst auf den entsprechenden Ordner, dann auf den Dateinamen:

```
<a href="link/links.htm">Links</a> – <a
   href="tipp/tipps.htm">Tipps</a>
```

4 Beachten Sie, dass Sie im Gegensatz zum Windows-Dateisystem mit einem Slash (/) arbeiten. Sie dürfen die Pfade nicht etwa mit Backslash (\) schreiben!

5 Die Links in der Datei *links.htm* würden so aussehen.

```
<a href="../index.htm">Home</a> – <a href="../
   tipp/tipps.htm">Tipps</a>
```

6 Die zwei Punkte stehen für „eine Ordnerebene hoch". Die Datei *index.htm* liegt schließlich, von der Datei *tipps.htm* aus betrachtet, eine Ebene höher. Es sind also relative Links. Beim Verweis auf *tipps.htm* marschieren Sie mit den zwei Punkten erst eine Ebene höher, um sich dann wieder in den Ordner *tipp* durchzuhangeln.

7 Folgerichtig sehen die Links in der Datei *tipps.htm* so aus:

```
<a href="../index.htm">Home</a> – <a href="../
   link/links.htm">Links</a>
```

Absolute Hyperlinks sind nicht gestattet

Verwenden Sie nie absolute Hyperlinks wie *C:\Eigene Dateien\homepage\index.htm*! Schließlich wissen Sie nicht genau, unter welchem Pfad Ihre Datei beim Dienstleister abgelegt wird. Sie müssen ausschließlich mit relativen Links arbeiten.

Sprungschanzen im Web: Externe Hyperlinks

Doch zurück zu unserem Projekt! Schließlich haben Sie dem Surfer externe Hyperlinks versprochen. Das Prinzip ist exakt das Gleiche wie bei Verweisen auf benachbarte Seiten.

1 Statt des Dateinamens tragen Sie die komplette Webadresse ein, den so genannten URL (**U**niform **R**esource **L**ocator). Schreiben Sie nach dem Prinzip:

```
<a href="URL">Linkbeschreibung</a>
```

2 Nehmen Sie sich zuerst die Link-Seite vor, die *links.htm*. Setzen Sie die Links! Ich schlage zuerst einen Link zur Seite von Microsoft (http://www.microsoft.de) und einen zur Seite eines an dieser Stelle nicht näher bezeichneten Computerbuchverlags (http://www.databecker.de) vor. Die „normalen Links" sähen beispielsweise so aus:

```
<a href="http://www.microsoft.de">Infos zu
   Word</a>
<a href="http://www.databecker.de">Literatur zu
   Word</a>
```

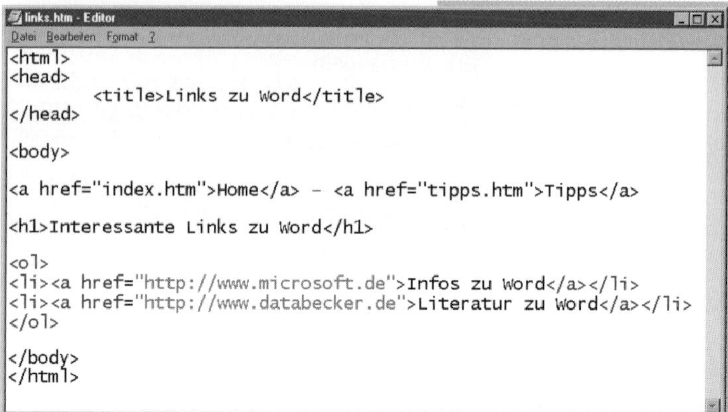

```
<html>
<head>
	<title>Links zu Word</title>
</head>

<body>

<a href="index.htm">Home</a> - <a href="tipps.htm">Tipps</a>

<h1>Interessante Links zu Word</h1>

<ol>
<li><a href="http://www.microsoft.de">Infos zu Word</a></li>
<li><a href="http://www.databecker.de">Literatur zu Word</a></li>
</ol>

</body>
</html>
```

3 Damit aber die Optik stimmt, bauen wir die Links zusätzlich in eine nummerierte Liste (<ol></ol>) ein. Ich liste Ihnen den gesamten Quelltext des Dokuments *links.htm* auf. Die externen Links habe ich farbig hervorgehoben.

4 Und so sieht das Ergebnis im Browser aus. Besuchte Links werden lila und unbesuchte blau dargestellt. Außerdem erkennen Sie diese Links natürlich an der Unterstreichung.

Links auf Dateien und Newsgruppen

Sie möchten auf eine Datei oder auf eine Newsgruppe verweisen? Nichts leichter als das! Schließlich fehlen auf unserer Link-Seite noch einige Querverweise. Hier schon einmal die Beispielseite vorab.

Info

Newsgruppen als schwarze Bretter im Internet

Sie wissen noch nicht, was sich hinter den Newsgruppen im Usenet verbirgt? Das sind die „schwarzen Bretter" im Internet, es handelt sich um eine Art „Selbsthilfeforum". Jeder kann hier seine Meinung zu einem speziellen Thema loswerden. Im Usenet hilft man sich gegenseitig und lernt allein durch das Mitlesen. Sie haben ein kniffliges Problem mit Word? Stellen Sie Ihre Frage in der speziellen Word-Newsgruppe. Newsgruppen erreichen Sie per E-Mail. Sie benötigen einen so genannten Newsreader wie Outlook Express. Outlook Express ist in Windows enthalten.

Link auf eine Datei

Sie wollen auf eine Datei verweisen, die auf einem so genannten FTP-Server liegt? Oder Sie haben die Datei auf Ihre eigene Homepage gepackt?

1 Auch hier müssen Sie lediglich das Grundprinzip etwas abwandeln. Schreiben Sie nach dem Muster:

```
<a href="Pfad zu Datei auf FTP-Server">
   Linkbeschreibung</a>
```

2 Sie wollen auf die Datei *wordia.exe* verweisen, die sich auf dem FTP-Server von Microsoft befindet? Und zwar unter dem Pfad ftp://ftp.microsoft.com/deskapps/word/winword-public/ia/wordia.exe? Dann schreiben Sie einfach:

```
<a href="ftp://ftp.microsoft.com/deskapps/
   word/winword-public/ia/wordia.exe">
   Internet Assistent für Word 6/95</a>
```

3 Natürlich könnten Sie auf die gleiche Art auch eine Datei einbinden, die auf Ihrem eigenen Server liegt. Fügen Sie lediglich Dateinamen (und evtl. den Pfad) ein, z. B. so:

```
<a href="word.zip">Infos zu Word</a>
```

Link auf eine Newsgruppe

Und wie setzen Sie einen Verweis auf eine Newsgruppe? Ganz ähnlich!

1 Im Beispiel geht es um eine Gruppe auf dem freien Newsserver news://msnews.microsoft.com! Verweisen Sie hier auf die Gruppe microsoft.public.de.word. Und so sieht der Hyperlink im Endeffekt aus:

```
<a href="news://msnews.microsoft.com/
   microsoft.public.de.word">Newsgruppe zu
   Word</a>
```

2 Hier sehen Sie alle vier Hyperlinks im Überblick. Sie wurden wieder in eine Nummerierung „eingekleidet".

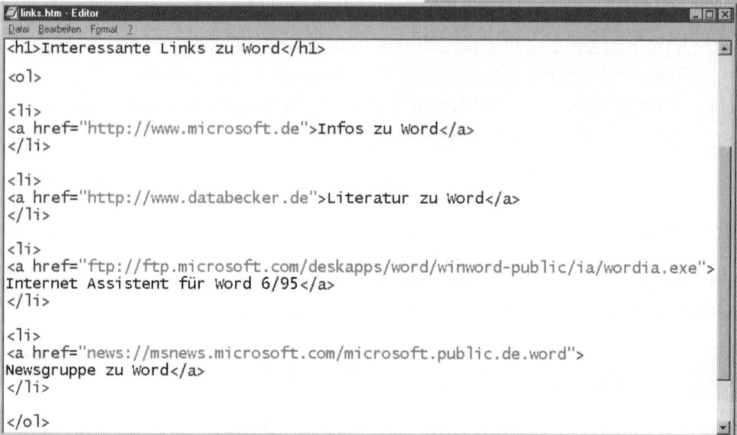

3 Achten Sie einmal darauf: Sobald der Surfer einen Link überfährt, erscheint in der Statuszeile die eigentliche Adresse.

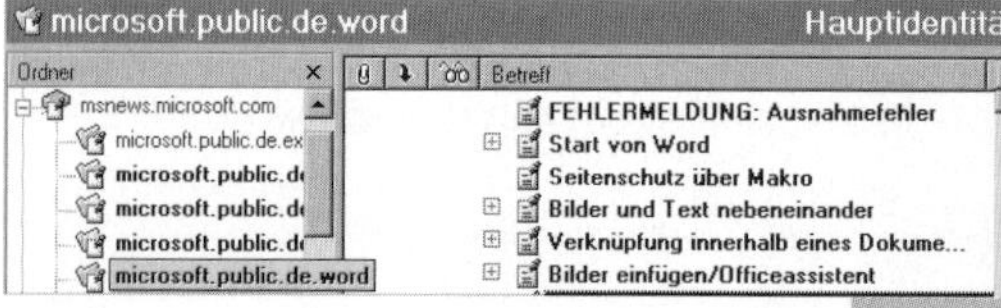

4 Klickt der Surfer darauf, wird – ein installierter Newsreader vorausgesetzt – die Gruppe direkt aufgerufen.

Feedback bitte: Der E-Mail-Link

Sie möchten, dass der Surfer Ihnen eine Botschaft schickt? Fügen Sie den so genannten E-Mail-Link ein.

1 Die Syntax ist wieder sehr einfach, schreiben Sie nach dem Motto:

<a href="mailto:E-Mail-Adresse">Feedback</a>

2 Statt *E-Mail-Adresse* tragen Sie natürlich Ihre eigene Adresse ein, beispielsweise *x.html@jchanke.de*. Der komplette E-Mail-Link sieht dann so aus:

```
<a href="mailto:x.html@jchanke.de">Feedback</
a>
```

3 Klickt der Surfer auf den Link, öffnet sich bei ihr oder ihm das E-Mail-Programm. Ein neues E-Mail-Formular erscheint. Das Beste: Der Empfänger (also Ihre oder meine E-Mail-Adresse) ist automatisch schon eingetragen.

4 Einzige Voraussetzung: Der Surfer hat ein korrekt installiertes und konfiguriertes E-Mail-Programm auf seinem Rechner. Sonst funktioniert diese Dienstleistung natürlich nicht!

5 Das war aber noch nicht alles! Mit einem Trick gelingt es Ihnen sogar, gleich einen Betreff in das E-Mail-Formular „hineinzuzaubern". Schreiben Sie nach dem Muster:

```
<a href="mailto:E-Mail-
Adresse?subject=Betrefftext">Feedback</a>
```

6 Im Beispiel könnte das so aussehen:

```
<a
href="mailto:x.html@jchanke.de?subject=Kommentar
zur Seite">Kommentar zur Seite</a>
```

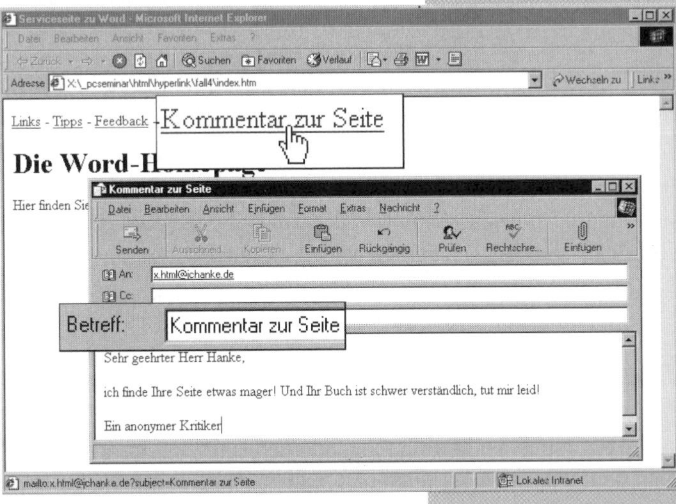

7 Das, was nach *subject=* folgt, wird als Betreff in das E-Mail-Formular übernommen!

Grafik als Hyperlink

Niemand hindert Sie daran, auch eine Grafik als Hyperlink „zu missbrauchen". Die Beispielgrafik heißt *help.gif* und wird durch den Schriftzug *Hilfe* geziert.

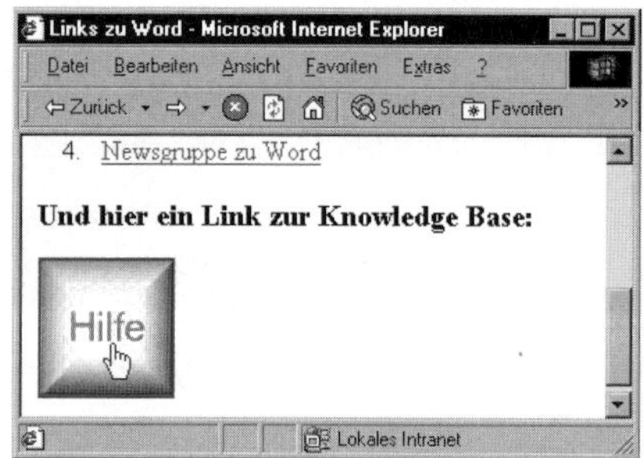

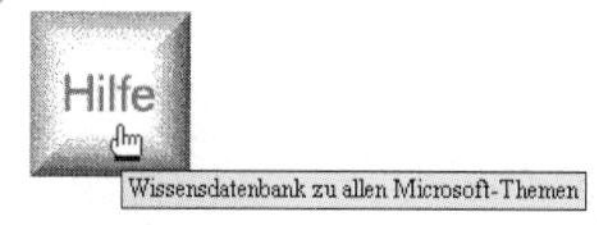

1 Ein Grafiklink ist ideal, um beispielsweise eine Schaltfläche zu erstellen. „Wickeln" Sie einfach den Hyperlink um das Bild.

2 Der Quelltext für den Grafiklink sieht so aus:

```
<a href="http://search.support.microsoft.com/
   kb">
<img src="help.gif" width="80" height="80" /></
   a>
```

3 Normalerweise besitzt die Grafik einen Rahmen. Schließlich ist es ein Hyperlink. Sie wollen den störenden Rahmen abschalten? Dann nutzen Sie das Attribut *border*, schreiben Sie *border="0"*. Fügen Sie außerdem als „Linkbeschreibung" via *alt* noch einen Alternativtext ein.

```
<a href="http://search.support.microsoft.com/
   kb">
   <img src="help.gif" width="80" height="80"
   border="0" alt="Wissensdatenbank zu allen
   Microsoft-Themen" /></a>
```

4 Und schon sieht die Schaltfläche noch schicker aus.

Sie können praktisch jede Grafik auf diese Weise in eine Schaltfläche umwandeln. Wie wäre es mit einem Häuschen als Verweis auf die Startseite? Oder einem Pfeil, um zur nächsten Seite zu verzweigen? Die Grenzen setzt nur Ihre Fantasie!

Interne Links

Fehlt noch die letzte Gruppe der Verweise, die internen Links. Interne Links werden immer dann benötigt, wenn Sie viel Inhalt auf eine Seite setzen.

Fügen Sie interne Anker in das Dokument ein. Verweisen Sie dann regelmäßig auf diese Anker.

Tipp- und Trick-Sammlung vorbereiten

Und bei dieser Gelegenheit machen wir uns gleich über die Tipps-und-Tricks-Sammlung her, über das Dokument *tipps.htm*. Schließlich fehlt noch etwas Inhalt.

1 Zuerst zeige ich Ihnen das komplette Dokument mit einigen Tipps und Tricks:

```
<html>
<head>
<title>Tipps und Tricks</title>
</head>
<body>
<a href="index.htm">Home</a> – <a href="links.htm">Links</a>
<h1>Tipps und Tricks zu Word</h1>
<p>Welchen Tipp m&ouml;chten Sie lesen?</p>
<hr />
<h3>Tabelle l&ouml;schen</h3>
<p>Das L&ouml;schen einer Tabelle ist normalerweise recht m&uuml;hselig und nur &uuml;ber das
  Men&uuml; zu erreichen. Der Trick: Markieren Sie die Tabelle bis &uuml;ber die (m&ouml;glichst
  leere) Absatzmarke des darauf folgenden Absatzes. Dr&uuml;cken Sie die Taste <kbd>Entf</
  kbd>!</p>
<hr />
<h3>Tabulatoren in Tabellen</h3>
<p>Halten Sie die <kbd>Strg</kbd>-Taste gedr&uuml;ckt. Dann k&ouml;nnen Sie in Tabellen auch
  Tabulatoren setzen. Zum Anspringen derselben m&uuml;ssen Sie wieder <kbd>Strg</kbd>
  dr&uuml;cken!</p>
<hr />
<h3>W&ouml;rter ganz schnell fetten</h3>
<p>Die Tastenkombination <kbd>Strg + Umschalt + F</kbd> fettet ein Wort.</p>
<hr />
<h3>Zeichenformate (fett, kursiv etc.) entfernen</h3>
<p>Klicken Sie in ein Wort. Dr&uuml;cken Sie <kbd>Strg + Leertaste</kbd>. So entfernen Sie die
  festen Zeichenformatierungen des Worts. Es steht nur noch das &quot;nackte&quot; Wort da.</p>
</body>
</html>
```

2 Je mehr Tipps Sie einfügen, desto mühseliger wird es für den Surfer. Er muss erst scrollen, um sich zu tiefer gelegenen Stellen zu bewegen. Ein Inhaltsverzeichnis wäre schick – erstellt am Seitenbeginn. Hier verweisen Sie auf die entsprechenden Stellen im Dokument. Und damit der Surfer von dort wieder zurück springen kann, fügen Sie gleich Links nach oben ein.

3 So soll das Dokument im Endeffekt aussehen.

Zuerst müssen Sie interne Anker definieren.

Interne Anker definieren

Um einen Anker zu definieren, benötigen Sie den Ankertag <a>.

1 Mit dem Attribut *name* legen Sie einen selbst gewählten Namen fest.

2 Für HTML 4 würde das genügen. In XHTML wird neuerdings das Attribut *id* verwendet. Schreiben Sie also sowohl *name* als auch *id* in den Anker-Tag hinein, vergeben Sie für beide Attribute die gleichen Werte. Hier ein Beispiel:

```
<a name="oben" id="oben">...</a>
```

3 Achten Sie darauf, sich für jeden Anker einen eindeutigen, im Dokument nur einmal vorkommenden Namen auszudenken! Verzichten Sie auf Leerzeichen. Ich empfehle für den Wert von *name* bzw. *id* generell Kleinschreibung, da auch hier zwischen Groß- und Kleinschreibung unterschieden wird.

4 Für das Dokument habe ich mir die folgenden Ankernamen ausgedacht: *oben, tabelleweg, tabelletab, wortfett, formatreset.*

5 Und hier sehen Sie, wie diese unsichtbaren Anker in das Dokument eingefügt werden.

```
<html>
<head>
  <title>Tipps und Tricks</title>
</head>
<body>
<a name="oben" id="oben"><a href="index.htm">Home</a> – <a href="links.htm">Links</a>
  </a>
<h1>Tipps und Tricks zu Word</h1>
<p>Welchen Tipp m&ouml;chten Sie lesen?</p>
<hr />
<a name="tabelleweg" id="tabelleweg"><h3>Tabelle l&ouml;schen</h3></a>
<p>Das L&ouml;schen einer Tabelle ist normalerweise recht m&uuml;hselig und nur &uuml;ber das
  Men&uuml; zu erreichen. Der Trick: Markieren Sie die Tabelle bis &uuml;ber die (m&ouml;glichst
  leere) Absatzmarke des darauf folgenden Absatzes. Dr&uuml;cken Sie die Taste <kbd>Entf</
  kbd>!</p>
<hr />
<a name="tabelletab" id="tabelletab"><h3>Tabulatoren in Tabellen</h3></a>
<p>Halten Sie die <kbd>Strg</kbd>-Taste gedr&uuml;ckt. Dann k&ouml;nnen Sie in Tabellen auch
  Tabulatoren setzen. Zum Anspringen derselben m&uuml;ssen Sie wieder <kbd>Strg</kbd>
  dr&uuml;cken!</p>
<hr />
<a name="wortfett" id="wortfett"><h3>W&ouml;rter ganz schnell fetten</h3></a>
<p>Die Tastenkombination <kbd>Strg + Umschalt + F</kbd> fettet ein Wort.</p>
<hr />
<a name="formatreset" id="formatreset"><h3>Zeichenformate (fett, kursiv etc.) entfernen</
h3></a>
<p>Klicken Sie in ein Wort. Dr&uuml;cken Sie <kbd>Strg + Leertaste</kbd>. So entfernen Sie die
  festen Zeichenformatierungen des Worts. Es steht nur noch das &quot;nackte&quot; Wort da.</p>
</body>
</html>
```

6 Übrigens ist es nicht zwingend nötig, dass ein Anker „um ein anderes Element" gewickelt wird. Auch diese Schreibweise wäre vollkommen korrekt. Lassen Sie also den Zwischenraum zwischen <a ...> und </a> leer.

```
<a name="oben" id="oben"></a>
```

Beachten Sie, dass *id* eine eindeutige Kennung ist. Sie müssen für jeden Anker einen anderen Namen vergeben!

Verweise auf interne Anker

Und nun setzen Sie einfach auf diese internen Anker einen Verweis. Diesmal benötigen Sie das *href*-Attribut. Und *href* ist nichts weiter als die Abkürzung für **h**yper **ref**erence, Querverweis.

Vergessen Sie dabei nicht, auch auf den Anker *oben* zu verweisen. So kann der Surfer schnell und bequem immer wieder zum Seitenanfang springen.

1 Die Syntax für einen Verweis lautet:

<a href="#Ankername">Linkbeschreibung</a>

2 Die Raute dient als Erkennungsmerkmal für einen internen Anker. Als Ankernamen wählen Sie natürlich Ihre eigenen Bezeichnungen, im Beispiel *oben*, *tabelleweg* usw.

3 Hier der komplette Quelltext. Das „Inhaltsverzeichnis" wurde diesmal in eine „ungeordnete Liste" (<ul></ul>) gesetzt. Außerdem habe ich die Verweise gesondert hervorgehoben.

```
<html>
<head>
<title>Tipps und Tricks</title>
</head>
<body>
<a name="oben" id="oben"><a href="index.htm">Home</a> – <a href="links.htm">Links</a></a>
<h1>Tipps und Tricks zu Word</h1>
<p>Welchen Tipp m&ouml;chten Sie lesen?</p>
<ul>
<li><a href="#tabelleweg">Tabelle l&ouml;schen</a></li>
<li><a href="#tabelletab">Tabulatoren in Tabellen</a></li>
<li><a href="#wortfett">W&ouml;rter ganz schnell fetten</a></li>
<li><a href="#formatreset">Zeichenformate entfernen</a></li>
</ul>
<hr />
```

```
<a name="tabelleweg" id="tabelleweg"><h3>Tabelle l&ouml;schen</h3></a>
<a href="#oben">oben</a>
<p>Das L&ouml;schen einer Tabelle ist normalerweise recht m&uuml;hselig und nur &uuml;ber das
   Men&uuml; zu erreichen. Der Trick: Markieren Sie die Tabelle bis &uuml;ber die (m&ouml;glichst
leere) Absatzmarke des darauf folgenden Absatzes. Dr&uuml;cken Sie die Taste <kbd>Entf</kbd>!
   </p>
<hr />
<a name="tabelletab" id="tabelletab"><h3>Tabulatoren in Tabellen</h3></a>
<a href="#oben">oben</a>
<p>Halten Sie die <kbd>Strg</kbd>-Taste gedr&uuml;ckt. Dann k&ouml;nnen Sie in Tabellen auch
   Tabulatoren setzen. Zum Anspringen derselben m&uuml;ssen Sie wieder <kbd>Strg</kbd>
   dr&uuml;cken!</p>
<hr />
<a name="wortfett" id="wortfett"><h3>W&ouml;rter ganz schnell fetten</h3></a>
<a href="#oben">oben</a>
<p>Die Tastenkombination <kbd>Strg + Umschalt + F</kbd> fettet ein Wort.</p>
<hr />
<a name="formatreset" id="formatreset"><h3>Zeichenformate (fett, kursiv etc.) entfernen</h3></
a>
<a href="#oben">oben</a>
<p>Klicken Sie in ein Wort. Dr&uuml;cken Sie <kbd>Strg + Leertaste</kbd>. So entfernen Sie die
   festen Zeichenformatierungen des Worts. Es steht nur noch das &quot;nackte&quot; Wort da.</p>
</body>
</html>
```

Hot Spots: Eine Imagemap erstellen

Versehen Sie Ihre Grafiken mit Hot Spots, den berührungsempfindlichen Stellen. Legen Sie die Links auf bestimmte Bereiche einer Grafik. Damit lassen sich tolle Effekte erzielen.

Es ist schwer, Imagemaps von Hand herzustellen. Ich zeige Ihnen, wie Sie mit dem Freewareprogramm MapMaker schnell zum Ziel gelangen!

MapMaker gibt es beispielsweise über www.jchanke.de/xhtml/mm32inst.exe. Sie erhalten das Programm auch über www.jchanke.de/fixl.html.

1 Betrachten Sie die Abbildung. Im Beispiel sollen bestimmte Städte auf einer Landkarte „anklickbar" gemacht werden. Durch einen

Klick auf eine Stadt springt der Surfer zur entsprechenden Seite. Die Landkarte ist dabei nichts weiter als eine Grafik im GIF-Format. (Es könnte aber auch gut und gern eine Textgrafik sein.)

2 Starten Sie MapMaker über *Start/Programme/MapMaker32/MapMaker32*. Klicken Sie hier auf die Schaltfläche *Öffnen*. Suchen Sie Ihre Grafik heraus.

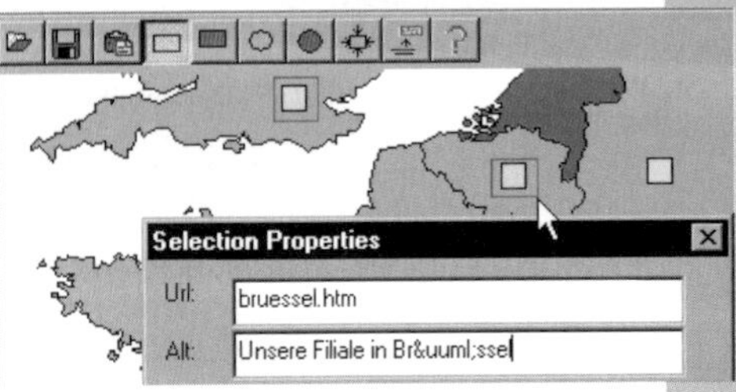

3 Wählen Sie jetzt das gewünschte Zeichenwerkzeug. Voreingestellt ist das Rechteck, im Beispiel bleiben wir dabei. Ziehen Sie bei gedrückter linker Maustaste um die Stelle einen Rahmen, die Sie als „berührungsempfindlich" definieren möchten. Doppelklicken Sie auf diesen Bereich. Tragen Sie den URL und einen Alternativtext ein und klicken Sie auf *OK*.

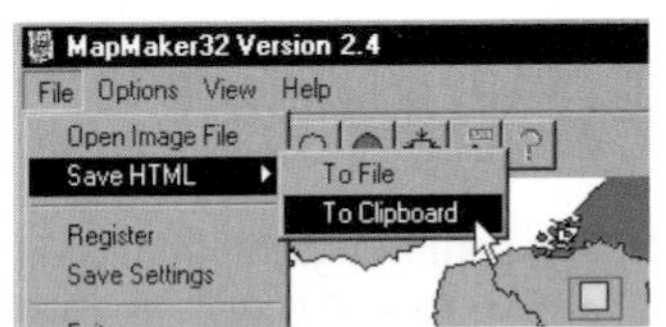

4 Wählen Sie im Menü *File* den Befehl *Save HTML/To Clipboard*. Der Quelltext wird jetzt in die Zwischenablage gelegt.

```
<p>Bitte besuchen Sie unsere Filialen:</p>

<!-- Image map created by MapMaker32 -->
<IMG SRC="map.gif" USEMAP="#map" BORDER=0>
<!-- Image Map (client side) starts... -->
<MAP NAME="map">
<AREA SHAPE="rect" COORDS="137,4,159,25", HREF="london.htm"
ALT="Unsere Filiale in London">
<AREA SHAPE="rect" COORDS="176,100,200,124", HREF="paris.htm"
ALT="Unsere Filiale in Paris">
```

5 Gehen Sie in Ihr HTML-Dokument, und zwar an die Stelle, wo die Imagemap erscheinen soll. Fügen Sie den Inhalt der Zwischenablage ein, beispielsweise mit Strg+V bzw. dem *Einfügen*-Befehl im *Bearbeiten*-Menü (*Edit/Paste*).

Sie können auch mit dem Freewareprogramm StarOffice eine Imagemap erstellen. Klicken Sie einfach mit der rechten Maustaste auf eine Grafik.

Wählen Sie im Kontextmenü den Befehl *Image Map*. Jetzt erscheint ein kleiner, aber feiner Image-Map-Editor, der sich ähnlich einfach wie MapMaker bedienen lässt.

Tipps und Tricks zu Hyperlinks

Damit sind die Möglichkeiten von Hyperlinks noch längst nicht erschöpft! Öffnen Sie ein neues Browserfenster. Färben Sie die Hyperlinks um. Erstellen Sie Querverweise mit „Info-Fahnen".

Sie werden staunen, mit welch geringem Aufwand sich manche Effekte erzielen lassen.

1 Der Surfer klickt auf einen Hyperlink: Normalerweise erscheint die neue Seite im gleichen Browserfenster. Besonders bei externen Querverweisen ist das ärgerlich. Sorgen Sie dafür, dass Ihre Seite wenigstens im Hintergrund geöffnet bleibt.

2 Ergänzen Sie im <a>-Tag einfach das Attribut *target* mit dem Wert *_blank*. Schreiben Sie nach dem Muster:

```
<a href="www.webadresse.com"
   target="_blank">Linkbezeichnung</a>
```

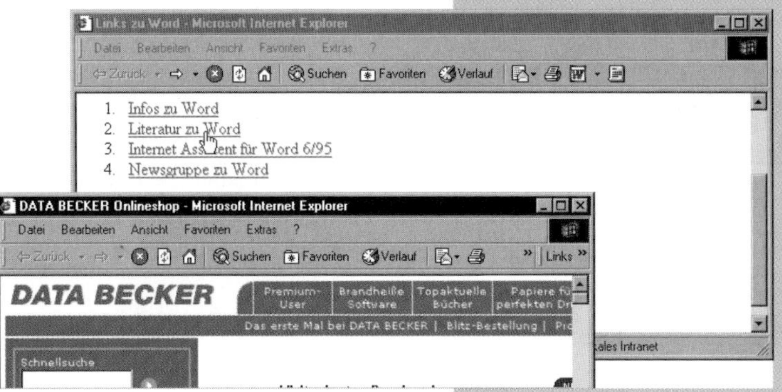

3 So bleibt Ihre Seite im Hintergrund geöffnet. Ein neues Browserfenster erscheint.

engl. Name	dt. Name	hexadezimaler Wert
black	schwarz	#000000
silver	hellgrau	#C0C0C0
gray	grau	#808080
white	weiß	#FFFFFF
maroon	kastanienbraun	#800000
red	rot	#FF0000
purple	lila	#800080
fuchsia	helllila	#FF00FF
green	dunkelgrün	#008000
lime	hellgrün	#00FF00
olive	olivgrün	#808000
yellow	gelb	#FFFF00
navy	dunkelblau	#000080
blue	blau	#0000FF
teal	blaugrün	#008080
aqua	himmelblau	#00FFFF

4 Auch die Farben der Links lassen sich verändern! Sie haben die Nase voll vom ewigen Blau-Lila? Dann definieren Sie Ihre eigenen Farben. Setzen Sie einfach folgende zusätzliche Attribute in den <body>-Tag:

- *link*, definiert die Linkfarbe, Voreinstellung blau.
- *vlink*, definiert die Farbe des besuchten Links, Voreinstellung lila.
- *alink*, Farbe des aktiven Links (während des Klickens).

5 Sie können als Attributwert Farbnamen verwenden. Dabei gibt es einen „freundlichen" Farbnamen und einen korrespondierenden hexadezimalen Wert. Die folgende Liste gibt eine Übersicht über die 16 wichtigsten Farbnamen. Tipp: Programme wie Paint Shop Pro können für jede der 16,7 Millionen Farben den entsprechenden hexadezimalen Wert anzeigen.

6 Hier ein Beispiel, bei der der normale Link grün, der besuchte rot und der Link während des Klickens ebenfalls grün erscheint:

```
<body link="green" vlink="red" alink="green">
```

7 Dass Sie Grafiklinks mithilfe des Attributs *alt* mit einer gelben QuickInfo versehen können, wissen Sie. Doch geht das auch bei Textlinks? Jawohl, es geht. Verantwortlich dafür ist das Attribut *title*!

8 Setzen Sie als Wert einfach einen frei wählbaren Beschreibungstext ein. Schreiben Sie nach dem Muster:

```
<a href="www.webadresse.
com"
title="QuickInfo-Text" >Link-
beschreibung</a>
```

9 Natürlich ist *QuickInfo-Text* nur der Platzhalter für den von ihnen einzutragenden Text. Hat die Sache wieder einen Haken? Ja! Leider ist der Internet Explorer derzeit der einzige Browser, der bei der Geschichte mitmacht! Allerdings versteht er es immerhin schon ab Version 4!

links.htm - Editor

Datei Bearbeiten Format ?

```
<h1>Interessante Links zu Word</h1>

<ol>

<li>
<a href="http://www.microsoft.de" title="Seiten von Microsoft">
Infos zu Word</a>
</li>

<li>
<a href="http://www.databecker.de" target="_blank"
title="Seiten von DATA BECKER">Literatur zu Word</a>
</li>

<li>
<a href="ftp://ftp.microsoft.com/deskapps/word/winword-public/ia/wordia.exe"
title="Kostenloses Add-In zum Erstellen von Webseiten">Internet Assistent
für Word 6/95</a>
</li>

<li>
<a href="news://msnews.microsoft.com/microsoft.public.de.word"
title="Hilfe zur Selbshilfe">Newsgruppe zu Word</a>
</li>

</ol>
```

Hier zeige ich Ihnen den Quelltext der auf diese Art erweiterten Hyperlink-Liste. Im Beispiel wurden zumindest die Attribute *title* und *target* verwendet.

Filme, Sounds und Multimedia

Sie wollen MIDI- oder MP3-Songs, Videofilmchen oder WAV-Dateien in die Seite einbinden? Einen Hintergrundklang einfügen? Oder heiße Flash-Animationen?

Immer zu, machen Sie Ihre Homepage multimedial! Das geht einfacher, als Sie denken! Zuerst zeige ich Ihnen die leichteste Variante. Natürlich verrate ich Ihnen auch, was Sie beachten müssen.

MIDI oder MP3? Link auf Mediafiles legen

Sie werden staunen, wie einfach das Einbinden einer Media-Datei funktioniert. Dabei ist es egal, ob es sich um eine Midi- oder Wav-Datei, ein Quicktime-Movie oder einen MP3-Song handelt. Das Prinzip ist gleich:

1 Fügen Sie lediglich einen Link auf diese Datei ein. Schreiben Sie nach dem Motto:

<a href="Media-Datei">Linkbeschreibung</a>

2 Sie wollen eine MP3-Datei namens *song.mp3* einbinden? Schreiben Sie beispielsweise:

<a href="song.mp3">Die MP3-Gitarre</a>.

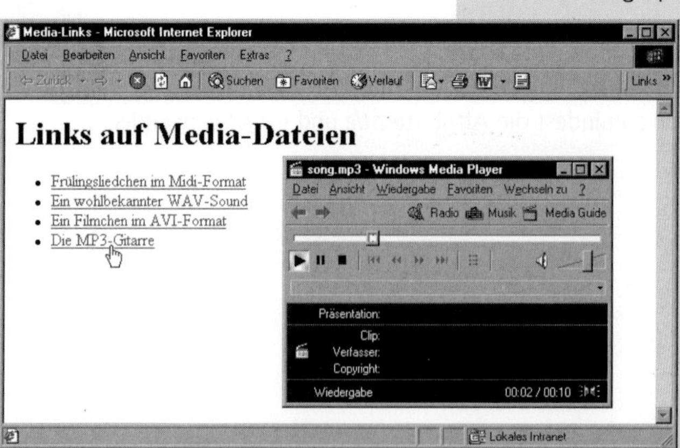

3 Der Browser erkennt automatisch, um welchen Dateityp es sich handelt, und ruft in der Regel das entsprechende Abspielprogramm auf den Plan. Der Internet Explorer startet normalerweise den Windows Media Player.

Wie möchten Sie mit dieser Datei verfahren?
Die Datei von ihrem aktuellen Ort öffnen
Datei auf Datenträger speichern

4 Manchmal erkennt Ihr Browser den Dateityp nicht. Er will die Datei herunterladen und speichern. Wählen Sie dann die entsprechende Option, um die Datei gleich abzuspielen. Im Internet Explorer heißt der Befehl *Die Datei von ihrem aktuellen Ort öffnen*.

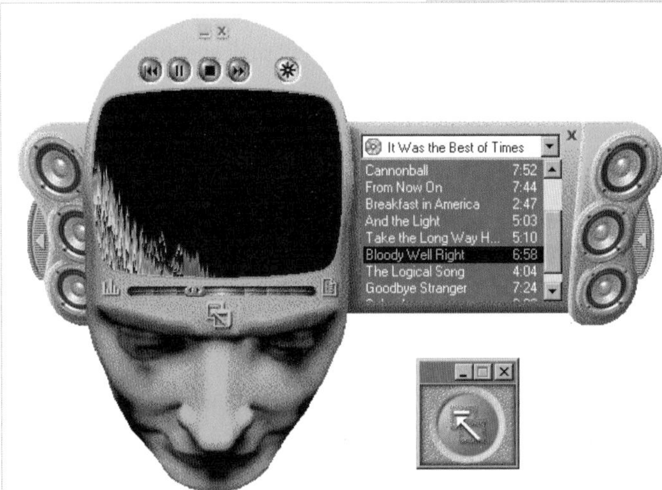

5 Apropos Abspielprogramm: Am leistungsstärksten ist der Mediaplayer vom Internet Explorer 5.x, der auch mit Windows Millennium ausgeliefert wird. Er kennt die gängigsten Mediaformate, beispielsweise Wave, MIDI, Streaming Audio, QuickTime, Au, Real Media, MP2 oder MP3. Dieses neue Abspielprogramm lässt sich sogar optisch an fast jeden Geschmack anpassen.

6 Der Netscape Navigator ab 4.7 wird mit dem bekannten Media Player WinAmp ausgeliefert, der ebenfalls viele Formate abspielen kann.

Im Prinzip können Sie auf diese Weise einen Link auf jeden Dateityp legen. Sie sind dabei nicht nur auf Media-Dateien beschränkt. Selbst eine Excel-, Word- oder PDF-Datei lässt sich einfügen und aufrufen!

Die einzige Voraussetzung: Der Betrachter hat Word bzw. Excel bzw. den Acrobat Reader (für PDF) auf seinem Rechner installiert.

Ob die Datei letztendlich abgespielt bzw.oder angezeigt wird, hängt also stets von den Fähigkeiten des Browsers und Betriebssystems des Betrachters ab. Im Zweifelsfalle gilt: Testen Sie's aus. Bitten Sie Freunde, es ebenfalls zu probieren!

Unplugged: Filme, Flash und Animationen

Zugegeben, die bisher beschriebene Linkmethode funktioniert, ist aber nicht sehr elegant. Soll der Surfer jedes Mal das Abspielprogramm komplett zu Gesicht zu bekommen? Muten Sie ihr oder ihm gegebenenfalls die Entscheidung zu, ob die Datei geöffnet oder gespeichert werden soll?

Probieren Sie etwas anderes. Binden Sie die Datei „visuell erlebbar" in Ihre Seite ein. Nutzen Sie den Tag <embed />.

1 Verwenden Sie die folgende Syntax:

<embed src="Dateiname" width="Pixel" height ="Pixel" autostart="false" loop="false" />

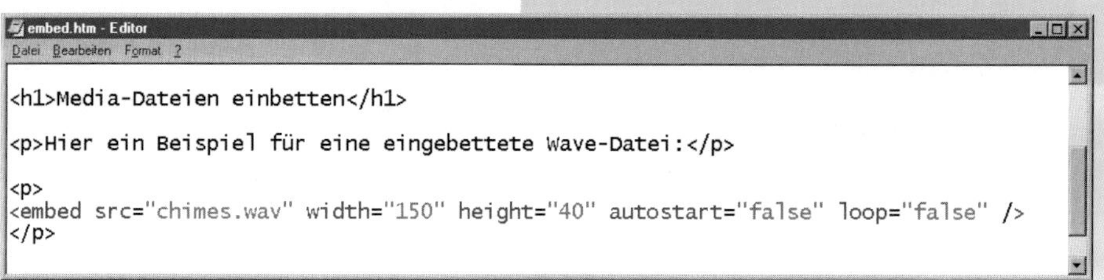

2 Setzen Sie den Tag in den Body des Dokuments, und zwar exakt an die Stelle, an der der Medienplayer angezeigt werden soll. Der Tag benimmt sich wie ein Zeichen. Im Beispiel wurde die Wave-Datei *chimes.wav* per <embed /> eingebunden. (Diese liegt im gleichen Ordner wie das HTML-Dokument.

3 Und so sieht das Ergebnis im Browser aus. Mit den Größenangaben (z. B. *width="150" height="40"*) legen Sie die Größe des integrierten Players genau fest.

4 Mit *autostart="false"* weisen Sie den Player an, das Stück erst nach einem Klick auf den Play-Schalter abzuspielen. Mit *autostart="true"* würde die Datei dagegen sofort abgespielt.

5 Und *loop="false"* bedeutet, dass das Stückchen nur einmal „heruntergenudelt" wird. Für ein „Endlosband" setzen Sie jedoch *loop="true"*.

6 Sie wollen einen Film auf diese Weise einbinden? Achten Sie darauf, die Größe für das Abspielgerät so zu wählen, dass der gesamte Player Platz hat. Lassen Sie gegebenenfalls *width* und *height* weg!

Das Aussehen des Abspielgeräts variiert von Browsertyp zu Browsertyp. Falls bei Ihnen nichts angezeigt wird, haben Sie kein Abspiel-Plug-In installiert. Denn auch hier gilt: Der Browser kann nur die Formate abspielen, für die ein Plug-In vorhanden ist.

Info

<object> ersetzt <embed>

Hätten Sie's gedacht? Der <embed>-Tag gehört nicht zum offiziellen HTML/XHTML-Standard! Das W3C favorisiert neuerdings das Tagpaar <object></object>. Um eine MIDI-Datei mit <object> einzubinden, schreiben Sie beispielsweise

```
<object data="song.mid" type="audio/midi" width="150" height="100"
autostart="false"></object>.
```

Der Haken bei der Geschichte: <object> wird nicht von allen Browsern interpretiert. Ich empfehle Ihnen <object> derzeit nicht, bleiben Sie bei <embed>!

Flash benötigt ein Plug-In

Sie arbeiten mit „exotischen Dateiformaten", beispielsweise mit Macromedia Flash für Animationen? Gerade in solchen Fällen gilt wieder: Die Datei kann nur dann abgerufen und abgespielt werden, wenn das richtige Plug-In in Ihrem Browser installiert ist. Mein Tipp: Seien Sie bei solchen Mediaformaten vorsichtig.

Prüfen Sie zuerst, ob die Dateien korrekt sowohl vom Internet Explorer als auch vom Netscape Navigator wiedergegeben werden können. Nichts ist ärgerlicher für den Surfer, als wenn er sich erst zeitraubend ein Plug-In herunterladen muss, bevor er die Seite betrachten kann.

Eine Flash-Datei wird übrigens ebenfalls per <embed></embed> in HTML eingebunden. Sie benötigen jedoch einige Zusatzoptionen, die von der jeweiligen Flash-Version abhängen. Aber keine Bange, den entsprechenden Code erzeugt das Programm Flash selbst.

Auf Wunsch können Sie auch eine „Browserweiche" und ein Platzhalterbild einfügen. Aber wie gesagt: Sie benötigen das Programm Flash! Nur der Player ist kostenlos.

Den kostenlosen Player und weitere Informationen zu Flash bekommen Sie unter www.macromedia.com.

Info

GIF-Animationen brauchen kein Plug-In

Sie wollen Animationen erstellen, verfügen aber nicht über das Programm Macromedia Flash? Denken Sie an das GIF-Format. Erstellen Sie animierte Dateien, die sich problemlos in jedem Browser anzeigen lassen. Wie Sie mithilfe von Animation Shop ein GIF-Banner erzeugen, habe ich Ihnen im Kapitel „Bilderalbum: Fotos, Farben und Grafiken" ja schon verraten!

Dudelfunk: Hintergrundklänge und mehr

Sehr beliebt bei vielen „Homepage-Bastlern" sind Hintergrundklänge. Diese werden automatisch beim Laden der Seite abgespielt. Auch das gelingt Ihnen mit <embed>, und zwar mit einem Trick.

1 Fügen Sie das Attribut *hidden* mit dem Wert *true* ein. Schalten Sie *autostart* auf *true*.

2 Auch wenn Sie Höhe und Breite angeben, nimmt das Objekt so überhaupt keinen Platz ein.

3 Setzen Sie diese <embed>-Zeile an irgendeine Stelle im Body Ihres HTML-Dokuments, und zwar möglichst innerhalb eines anderen Tag-Paars. Hier ein Beispiel für ein komplettes

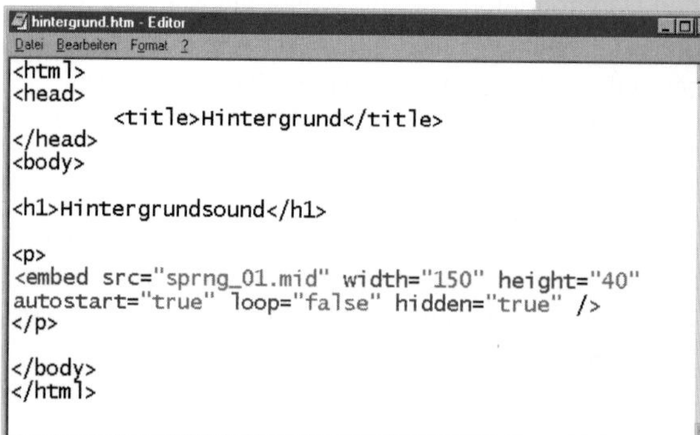


```
<html>
<head>
        <title>Hintergrund</title>
</head>
<body>

<h1>Hintergrundsound</h1>

<p>
<embed src="sprng_01.mid" width="150" height="40"
autostart="true" loop="false" hidden="true" />
</p>

</body>
</html>
```

HTML-Dokument mit Hintergrundklang. Die entscheidende Passage habe ich farbig hervorgehoben. Dabei wird beim Starten des Dokuments das MIDI-Stückchen *sprng_01.mid* aufgerufen.

4 Keine Bange, durch *hidden="true"* wird der Player weder angezeigt noch nimmt er Platz weg. Geben Sie am besten trotzdem *width* und *height* an, da das einige Browser so verlangen.

Der große Vorteil dieser Methode: Sowohl der Internet Explorer als auch Netscape verstehen diese Anweisung!

Info

Nicht zu empfehlen: <bgsound>

Microsoft hat einen Tag namens <bgsound> eingeführt. Sie setzen ihn nicht in den Body, sondern in den Kopfbereich des Dokuments. Schreiben Sie beispielsweise *<bgsound src="sprng_01.mid" />*. Dieser Tag gehört weder zum offiziellen Standard noch wird er von Netscape verstanden. Leider bauen ihn Programme wie FrontPage oder Word 2000 ungeachtet dieser Nachteile in Ihre Webseite ein. Ich rate Ihnen jedoch von der Verwendung von <bgsound> ab.

Mit CSS den Verein präsentieren

Mit den Style Sheets wird das Gestalten Ihrer Webseiten wirklich einfach! Verändern Sie Schriftart, -farbe und andere Eigenschaften. Arbeiten Sie mit Rändern und Hintergrundschattierung. Platzieren Sie Grafiken und Text exakt an einer bestimmten Stelle auf der Seite.

Im Gegensatz zum (in XHTML übrigens abgeschafften) <font>-Tag haben Sie mit den neuen Style Sheets weitaus mehr Möglichkeiten.

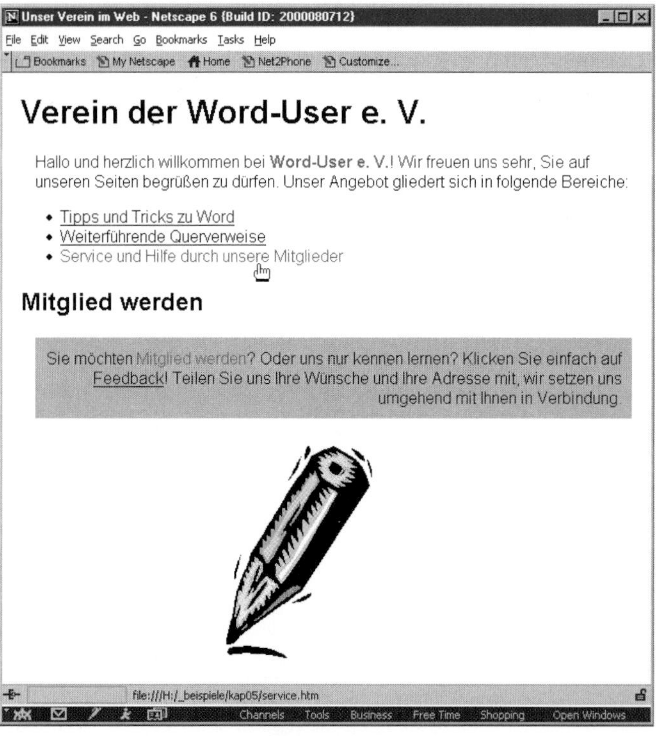

In diesem Kapitel dreht sich alles um die Sprache **C**ascading **S**tyle **S**heets (CSS), zu Deutsch „kaskadierende Formatvorlagen". Hier sehen Sie schon einmal das fertige Beispiel für dieses Kapitel. Blättern Sie am besten immer wieder zu dieser Seite zurück.

Besser gestalten: Style Sheets als Formatvorlagen

Was verbirgt sich eigentlich hinter Style Sheets? Ich erkläre es Ihnen! Doch schauen Sie sich zuerst das „Style Sheet-freie" Dokument im Überblick an. Schreiben Sie es gegebenenfalls ab und machen Sie mit. Schritt für Schritt wandeln wir das „hässliche Entlein" (siehe nächste Abbildung) in einen hübschen jungen Schwan (siehe oben stehende Abbildung) um. Als Dateinamen für unser Projekt schlage ich *verein.htm* vor. Sie können irgendeine Grafik verwenden.

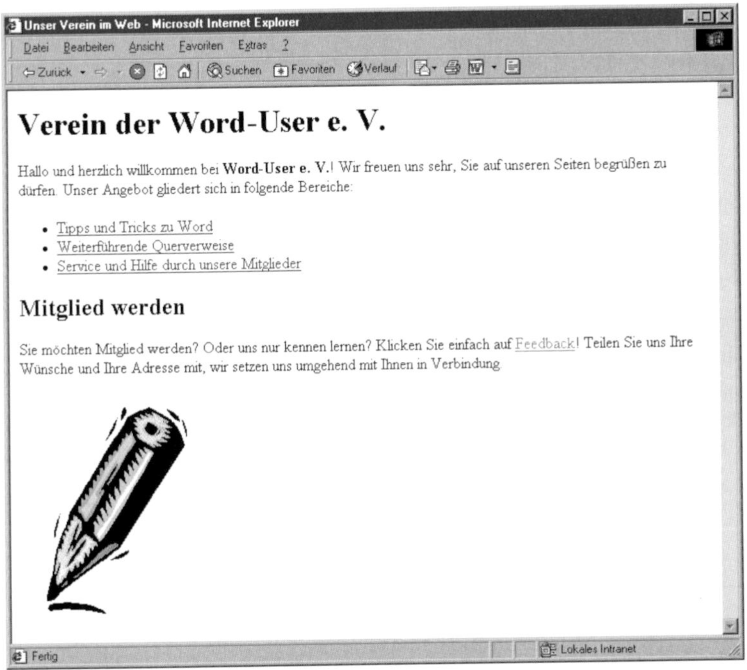

1 Hier sehen Sie das Ausgangsdokument. Es ist ein normales HTML-Dokument ohne Besonderheiten. Der Quelltext, der dahinter steckt, ist einfaches HTML. Der Browser wählt (falls nicht anders eingestellt) automatisch die Schriftart Times oder Times New Roman.

2 Es gibt zwei Überschriften, eine Liste, weiterführende Links und eine Grafik. Die Hyperlinks erscheinen unterstrichen und blau, besuchte Links dagegen lila. Den kompletten Quelltext finden Sie unten. Wie Sie sehen sind die Gestaltungsmöglichkeiten sehr beschränkt.

```
<html>
<head>
<title>Unser Verein im Web</title>
</head>
<body bgcolor="white" vlink="gray">
<h1>Verein der Word-User e. V.</h1>
<p>Hallo und herzlich willkommen bei <b>Word-User e. V.</b>! Wir freuen uns sehr, Sie auf unseren
   Seiten begr&uuml;&szlig;en zu d&uuml;rfen. Unser Angebot gliedert sich in folgende Bereiche:</p>
<ul>
<li><a href="tipps.htm">Tipps und Tricks zu Word</a></li>
<li><a href="links.htm">Weiterführende Querverweise</a></li>
<li><a href="service.htm">Service und Hilfe durch unsere Mitglieder</a></li>
</ul>
<h2>Mitglied werden</h2>
<p>Sie m&ouml;chten Mitglied werden? Oder uns nur kennen lernen? Klicken Sie einfach auf <a
   href="mailto:feedback@happyoffice.com">Feedback</a>! Teilen Sie uns Ihre W&uuml;nsche und
   Ihre Adresse mit, wir setzen uns umgehend mit Ihnen in Verbindung.</p>
<img src="pen.gif" alt="Stift" width="170" height="220" />
</body>
</html>
```

3 Wir werden dieses Dokument nachher mit Style Sheets ansprechend gestalten. Style Sheets? Das sind nichts weiter als die von großen Textverarbeitungen her bekannten Formatvorlagen. Hinter Formatvorlagen verbirgt sich ein ganz raffiniertes Konzept: Gestaltungseigenschaften werden in „Bündeln" zusammengefasst und an zentraler Stelle „geparkt".

4 Statt beispielsweise einen Absatz immer wieder mit den gleichen Einstellungen zu versehen, legen Sie diese Eigenschaften in der Formatvorlage fest. Dann weisen Sie dem Absatz nur noch diesen „Style" zu. Kreieren Sie eigene „Stile". Je nach Textverarbeitungsprogramm werden Formatvorlagen unterschiedlich bezeichnet, in Word oder StarWriter heißen sie Formatvorlagen, in WordPerfect dagegen Styles. In CSS nun nennt man diese Vorlagen Style Sheets, Stilblätter. Alles klar?

5 Wozu das Sinn macht? Angenommen, Sie wollen nachträglich die Schriftart für die Überschriften ändern. Mit Formatvorlagen bzw. Style Sheets sind Sie fein raus: Sie ändern nur die Eigenschaften in dieser einen Vorlage und alle mit diesem Stilformat behandelten Stellen werden auf einen Schlag mit verändert.

6 Ähnlich praktisch sind Zeichenvorlagen. So können alle kursiv gesetzten Wörter auf einen Schlag „gefettet" oder rot dargestellt werden. Alle Absätze erhalten eine Hintergrundschattierung und einen Absatzrand.

7 Wie immer, wenn es um fortgeschrittene Techniken geht, finden sich etliche Haare in der Suppe. Style Sheets werden nur von neueren Browsern fehlerfrei interpretiert, und auch hier nicht immer in vollem Umfang.

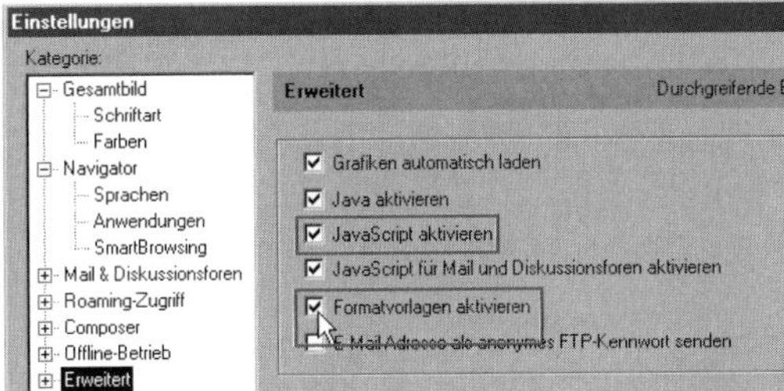

8 In Netscape können Sie Style Sheets erst ab Version 4.x bewundern, und das nur dann, wenn Sie JavaScript aktiviert haben. (Schauen Sie also unter *Bearbeiten/Einstellungen/Erweitert* nach, ob hier ein Häkchen sitzt bei *JavaScript aktivieren* und *Formatvorlagen aktivieren*!) Trotzdem werden Ihnen wichtige Eigenschaften vorenthalten (z. B. Ränder, Rahmenlinien oder bestimmte Schriftattribute wie Kapitälchen). Der Internet Explorer unterstützt Style Sheets immerhin schon seit Version 3 in Ansätzen und ab Version 4 zu ca. 80 %. Die Version 5 ist zu 99 % „Style Sheet-kompatibel". Die beste Darstellung erreichen Sie derzeit mit dem Internet Explorer ab 5.5, Opera ab Version 4 und Netscape ab Version 6.

Trotz evtl. noch vorhandener Darstellungsprobleme haben sich die Style Sheets längst durchgesetzt! Die Vorteile wiegen die derzeit noch bestehenden Nachteile auf. (Denken Sie trotzdem daran zu prüfen, ob das Dokument auch ohne Style Sheets noch einigermaßen gut aussieht.)

So definieren Sie eine Formatvorlage

Genug der Theorie. Wandeln Sie das Dokument endlich um! Ich zeige Ihnen, wie Sie Style Sheets in HTML einbinden. Dabei ändern Sie zuerst die Schriftart und -größe für alle Absätze (<p>). Wie wäre es mit Arial, 12 Punkt?

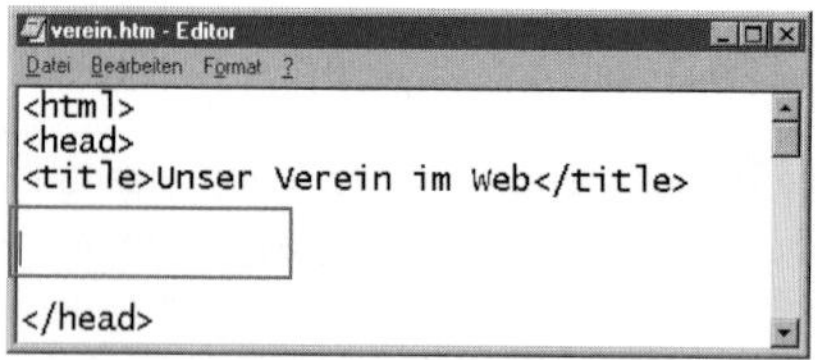

1 Schauen Sie in den Kopfbereich des Dokuments. Style Sheets setzen Sie zwischen </title> und </head>.

2 Style Sheets werden durch *<style type="text/css">* eingeleitet und mit </style> abgeschaltet. Setzen Sie außerdem um Ihre Stildefinitionen HTML-Kommentarzeichen, damit ältere Browser nicht verwirrt werden. Schreiben Sie insgesamt also:

```
<style type="text/css">
<!—
...
//—>
</style>
```

3 Definieren Sie nun die entsprechenden Formatvorlagen. Dazu schreiben Sie zuerst den Namen des Tags, allerdings ohne Klammern.

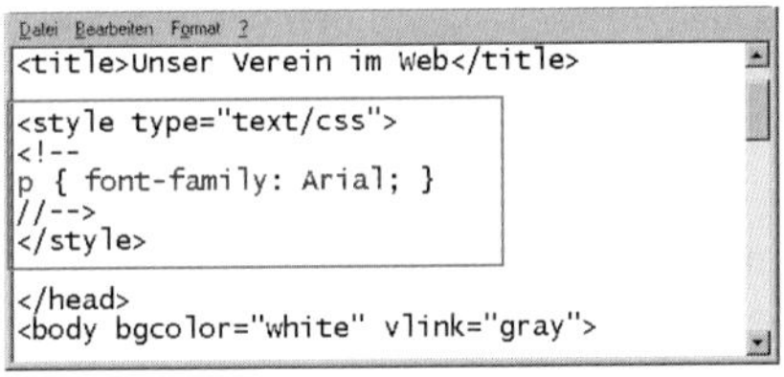

```
Datei  Bearbeiten  Format  ?
<title>Unser Verein im Web</title>

<style type="text/css">
<!--
p { font-family: Arial; }
//-->
</style>

</head>
<body bgcolor="white" vlink="gray">
```

Setzen Sie dann ein Paar geschweifte Klammern. Hier tragen Sie die Eigenschaften ein. Wenn Sie den <p>-Tag bearbeiten wollen, schreiben Sie:

```
<style type="text/css">
<!—
p { Eigenschaften; }
//—>
</style>
```

4 Nun zu den *Eigenschaften* in den geschweiften Klammern. Hier müssen Sie eine komplett andere Syntax lernen! Schreiben Sie das entsprechende Attribut. Sie wollen die Schriftart ändern? Dann nehmen Sie *font-family* (nicht *font-face*!). Danach tippen Sie den Doppelpunkt (kein Gleichheitszeichen!) und dann den Attributwert. Der Attributwert wird nicht in Anführungszeichen gesetzt.

5 So sieht der Kopfbereich des Dokuments mit der Style-Sheet-Definition aus. Und so einfach haben Sie als Schriftart für alle mit <p></p> gestalteten Absätze Arial eingestellt!

Sie wünschen eine andere Schriftart? Wechseln Sie Arial einfach durch einen anderen Namen aus, schreiben Sie beispielsweise Garamond oder Courier.

Die wichtigsten Attribute von Style Sheets

Sicher wollen Sie nicht nur die Schriftart verändern. Welche Möglichkeiten bieten Ihnen Style Sheets noch? Hier die wichtigsten Attribute im Überblick:

- *font-family*, verantwortlich für die Schriftart
- *font-size*, Schriftgröße, Angabe z. B. in pt (Punkt)
- *color*, Schriftfarbe, z. B. als hexadezimaler Wert (*#ff0000*) oder Farbname (*red*)
- *background*, verantwortlich für die Hintergrundfarbe
- *margin-left*, verantwortlich für den linken Rand, z. B. in *px* (Pixel)
- *margin*, verantwortlich für den gesamten Rand, z. B. in *px* (Pixel)

Ich zeige Ihnen die Verwendung dieser Attribute auf den nächsten Seiten am Beispiel!

Regeln für Style Sheets

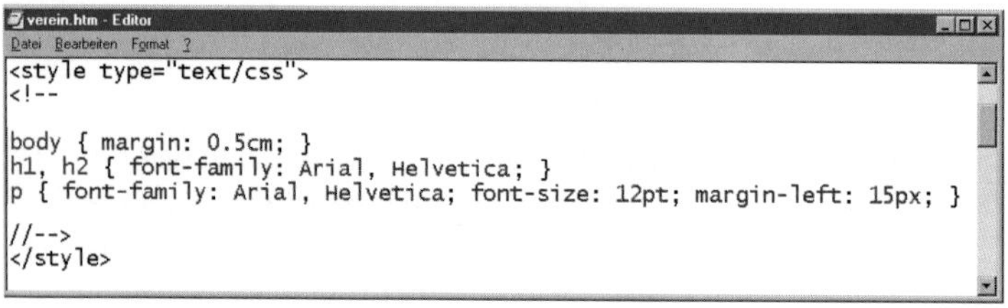

```
<style type="text/css">
<!--

body { margin: 0.5cm; }
h1, h2 { font-family: Arial, Helvetica; }
p { font-family: Arial, Helvetica; font-size: 12pt; margin-left: 15px; }

//-->
</style>
```

Nun kennen Sie schon einige wichtige Attribute und deren Werte. Außerdem gibt es einige Regeln und Besonderheiten, die ich Ihnen am besten wieder am Beispiel vormache. Erweitern und ergänzen Sie dafür unsere Stildefinition. Zwei Zeilen werden zusätzlich eingefügt, die <p>-Zeile wird erweitert. Gehen wir gemeinsam den Quelltext durch:

1 Das Schlüsselwort *body* ist für das gesamte Dokument verantwortlich. Mit dieser Anweisung sorgen Sie dafür, dass das komplette Dokument rundherum einen Rand von 0,5 cm erhält. Beachten Sie, dass Sie in Dezimalbrüchen statt des Kommas einen Punkt setzen müssen! Vergessen Sie nicht das Semikolon, um die Stildefinition abzuschließen.

```
body { margin: 0.5cm; }
```

2 In der nächsten Zeile werden die Eigenschaften für die Überschriftenebenen <h1> und <h2> festgelegt. Dabei schlagen Sie gleich „zwei Fliegen mit einer Klappe". Immer wenn Sie mehrere Elemente auf einmal gestalten wollen, reihen Sie die Tags vor der Stildefinition einfach auf. Trennen Sie diese lediglich durch Kommas.

```
h1, h2
```

3 In dieser Zeile geben wir mit *Helvetica* außerdem eine weitere Alternativschrift an. Warum? Denken Sie an die Betrachter, die möglicherweise die von Ihnen angegebenen Schriften nicht installiert haben. So gibt es in der Macintosh- oder Linux-Welt kein Arial, sondern Helvetica. Alternative Attributwerte müssen Sie lediglich durch Kommas aufreihen. Schreiben Sie beispielsweise *font-family: Arial, Helvetica*. Falls vorhanden, zeigt der Browser den Text in *Arial* an. Wenn die Schrift nicht vorhanden ist, wird nach *Helvetica* gesucht.

```
h1, h2 { font-family: Arial, Helvetica; }
```

4 Die Absatzzeile wurde erweitert. Zusätzlich zum Attribut *font-family* haben wir *font-size* (Schriftgröße) und *margin-left* (linker Rand) eingefügt. Die einzelnen Attribute werden durch Semikolon voneinander getrennt. Evtl. Alternativwerte reihen Sie jedoch durch Komma auf.

```
p { font-family: Arial, Helvetica; font-size: 12pt;
    margin-left: 15px; }
```

Info

Wertigkeit in Style Sheets

Der Tag <body> ist das wichtigste Element in Ihrem HTML-Dokument. Warum? Nun, weil der <body>-Tag von allen Tags das höchstwertige ist. Wenn Sie hier ein Rand, eine Schriftart oder -farbe definieren, gilt diese für das gesamte Dokument! Man spricht davon, dass die anderen Tags diese Eigenschaften erben. Probieren Sie es ruhig aus! Sie werden dieses „Vererbungsprinzip" noch an einem anderen Beispiel kennen lernen.

Sie finden die Schreibweise am Anfang noch ungewohnt und neu? Sie möchten sich später wieder erinnern, was eine Zeile bedeutet? Arbeiten Sie mit Kommentaren. Fügen Sie den Kommentar in eine eigenen Zeile ein, setzen Sie ihn zwischen /* */. Schreiben Sie:

```
/* Die folgende Zeile ändert die Schriftart der Hauptüberschriften */
h1, h2, { font-family: Arial, Helvetica; }
```

Zeichenformate in CSS

Bisher haben Sie mit Style Sheets lediglich ganze Absätze gestaltet. Denn die Hauptüberschriften und <p> stellen eine Art eigenen Absatz dar, sie bilden einen „Block". Aber auch Zeichenformate lassen sich in Ihren Eigenschaften manipulieren. Folgende zwei Zeilen stehen hier zur Diskussion.

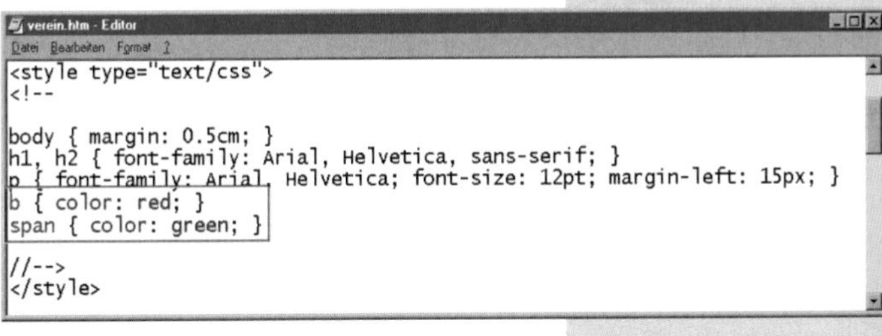

```
<style type="text/css">
<!--

body { margin: 0.5cm; }
h1, h2 { font-family: Arial, Helvetica, sans-serif; }
p { font-family: Arial, Helvetica; font-size: 12pt; margin-left: 15px; }
b { color: red; }
span { color: green; }

//-->
</style>
```

1 Der Tag <b> (für bold) gestaltet normalerweise fett. Sie möchten, dass die betreffende Textstelle zusätzlich rot eingefärbt wird? Dann tragen Sie es einfach im Style Sheet ein.

```
b { color: red; }
```

```
<h2>Mitglied werden</h2>

<p>Sie m&ouml;chten <span>Mitglied werden</span>? Oder
uns nur kennen lernen? Klicken Sie einfach auf
```

2 Kennen Sie schon das Tagpaar <span></span>? Es handelt sich um ein freies Zeichenformat. Ohne Style Sheet bewirkt <span>

</span> nichts, da es selbst keine Eigenschaften zuweist. Mit Style Sheet können Sie jedoch die betreffenden Textstellen manipulieren.

3 Und genau das macht die nächste Zeile. Weisen Sie dieser Textstelle einfach die Farbe grün zu.

```
span { color: green; }
```

Natürlich können Sie auch bei Zeichenformaten weitere Attribute einfügen bzw. einzelne Werte durch Kommas aufreihen.

Info

Freie Formate für Zeichen und Absätze

Nun wissen Sie, wie Sie über die vorhandenen HTML-Tags sowohl Absätze als auch Zeichen ansprechen. Die Tags besitzen in aller Regel jedoch eine bestimmte Eigenschaft, die voreingestellt ist. In <h1> stecken eine besondere Schriftgröße und ein zusätzlicher Abstand, <b> formatiert ein Zeichen fett und <pre> sorgt für eine nichtproportionale Schriftart. Um diesen Zwängen zu entgehen, sind gerade für Style Sheets die Tags <div> und <span> so wichtig. Der Tag <div></div> wirkt im Gegensatz zu <span></span> auf Absatzebene. Merken Sie sich: <div> ist eine Art Container auf Absatzebene, das Wort kommt von Division, Abschnitt. <span> ist als Behälter für einzelne Zeichen bzw. Wörter gedacht.

Geht auch: Eigene Klassen bilden

Bisher besitzen Sie ein einziges Absatzformat, das alle Absätze (<p></p>) gleichermaßen betrifft. Blättern Sie zum Anfang des Kapitels: Für den zweiten Absatz benötigen wir eigentlich ein ganz anderes Absatzformat! Ein Rahmen muss her. Auch der Zeilenabstand wurde verändert! Kein Problem: Bilden Sie so genannte Klassen! Schauen Sie sich die Sache ruhig einmal an:

1 Sie benötigen eine weitere Absatzvorlage, hier für einen Rahmen. Erzeugen Sie die Klasse *rahmen*. Setzen Sie also nach dem Tag-Namen einen Punkt und schließen Sie ohne Leerzeichen den Klassennamen an. Die Eigenschaften in den geschweiften Klammern lassen wir im Beispiel noch frei, wir machen ein Experiment! Schreiben Sie im Style Sheet also Folgendes:

```
p.rahmen { }
```

2 Den Klassennamen dürfen Sie sich im Prinzip frei ausdenken. Sie können theoretisch so viele Klassen bilden, wie Sie lustig sind!

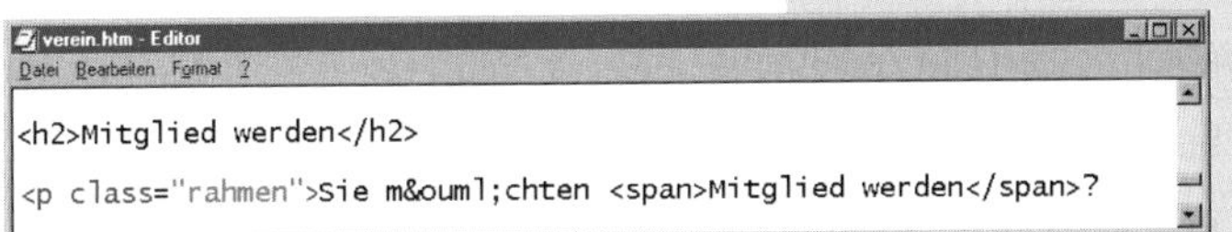

3 Und wie sagen Sie's dem Element, dass es zu einer bestimmten Klasse zählt? Nutzen Sie das Attribut *class*, schreiben Sie *class="Klassenname"*. Im Beispiel wird der untere Absatz also folgendermaßen eingeleitet:

```
<p class="rahmen">Sie m&ouml;chten
<span>Mitglied werden</span>? ...</p>
```

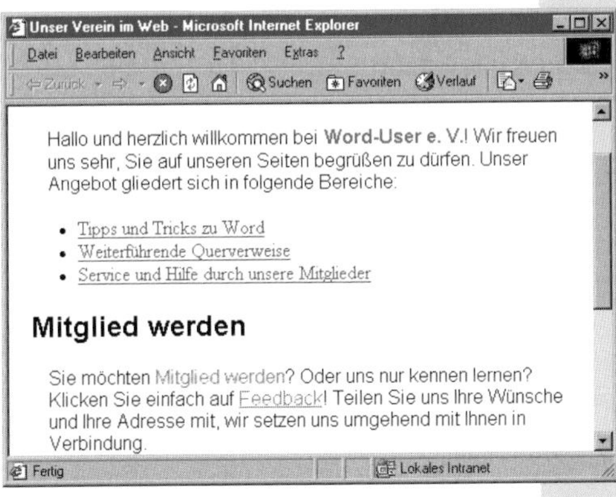

4 Speichern Sie das Beispieldokument und betrachten Sie die Vorschau im Browser! Was stellen Sie fest? Offenbar hat sich nichts geändert?! Auf den ersten Blick lässt sich die neu gewonnene Klasse anscheinend von ihrer Existenz überhaupt nicht beeindrucken. Der zweite Absatz besitzt weiterhin die gleichen Eigenschaften wie der erste.

Info

Kaskadierende Formatvorlagen

Das ist auch der Dreh- und Angelpunkt bei der ganzen Geschichte! Da sind wir genau da, wo wir hin wollten, und zwar beim Begriff „kaskadierende Formatvorlagen". Wie bei einer Kaskade werden die Eigenschaften „von oben nach unten gespült". Kurz: Die neue Klasse erbt ihre Eigenschaften von der übergeordneten „Instanz"! Und solange Sie hier keine abweichenden Einstellungen vornehmen, bleibt alles beim Alten!

Zeilenhöhe, Textausrichtung und Innenrand

Trotzdem können Sie jetzt für den zweiten Absatz zusätzlich andere Eigenschaften festlegen. Sobald Sie etwas Neues festlegen, wird das Alte überschrieben.

Doch vorher stelle ich Ihnen drei neue Attribute vor:

- *text-align*, verantwortlich für die Textausrichtung.
- *line-height*, kontrolliert die Zeilenhöhe.
- *padding*, beschreibt den Innenrand, die „Füllung" bzw. „Polsterung".

Und hier das erweiterte Style Sheet im Überblick:

verein.htm - Editor

Datei Bearbeiten Format ?

```
<style type="text/css">
<!--
body { margin: 0.5cm; }
h1, h2 { font-family: Arial, Helvetica, sans-serif; }
p { font-family: Arial, Helvetica, sans-serif; font-size: 12pt; margin-left: 15px; }
p.rahmen { text-align: right; line-height: 1.2; padding: 10px; background: silver; }
b { color: red; }
span { color: green; }
```

Ich verrate Ihnen im Einzelnen, was dahinter steckt:

1 Zuerst wird die Textausrichtung auf rechtsbündig gesetzt. Schreiben Sie

text-align: right;

2 Der Zeilenabstand (*line-height*) soll auf 1,2-zeilig eingestellt werden. Denken Sie daran, dass Sie in CSS bei Dezimalbrüchen statt des Kommas einen Punkt setzen. Schreiben Sie

line-height: 1.2;

3 Der Innenrand (*padding*) beträgt 10 Pixel. Zur Erinnerung: Hinter *padding* verbirgt sich die „Polsterung" oder „Füllung".

padding: 10px;

4 Als Hintergrundfarbe wählen Sie ein helles Grau (*silver*). Damit wird der „Rahmeneffekt" erreicht.

background: silver;

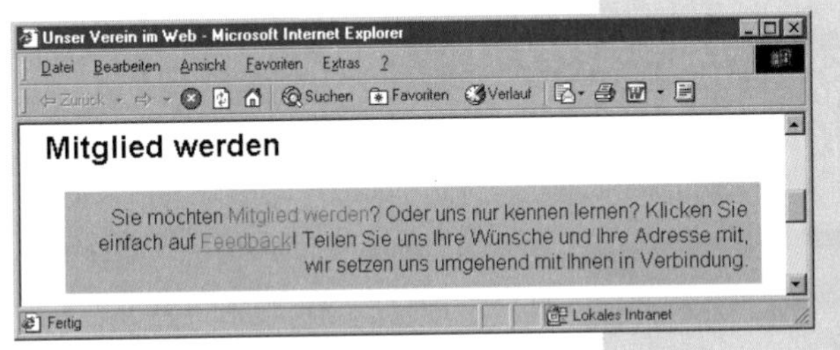

5 Und komplett sieht die Zeile so aus. Sie arbeiten noch mit Netscape 4.x? Dieser Browser kommt mit dem Rahmeneffekt leider nicht zurecht. Das Grau wird treppenförmig und ausgefranst dargestellt. Für Netscape 6 oder Internet Explorer 4, 5 bzw. höher ist dieser Effekt jedoch kein Problem.

```
p.rahmen { text-align: right; line-height: 1.2;
   padding: 10px; background: silver; }
```

Bilden Sie Ihre eigenen Klassen immer dann, wenn Sie mehrere Absatz- oder Zeichenformate benötigen. Besonders nützlich sind diese Klassen im Zusammenhang mit <div></div> und <span></span>, den freien Absatz- bzw. Zeichenformaten.

Inline-Style

Wussten Sie, das Sie Ihre Styles auch als Inline-Style definieren können? Nutzen Sie das Attribut *style*. Fügen Sie die Angaben einfach in die Gänsefüßchen ein, verzichten Sie dabei jedoch auf die geschweiften Klammern.

```
<tag style="Stylesheet-Definitionen">
```

Wie wäre es mit einem Beispiel? Nutzen Sie die Stildefinitionen für einen *<div>*-Container, beispielsweise so:

```
<div style="font-family: Arial, Helvetica; text-align: center;">Immer eine freche Idee
   voraus!</div>
```

Inline-Styles werden gerade dann gern verwendet, wenn es sich um „einmalige" Gestaltungsaktionen handelt. So können Sie sich das Definieren von Klassen sparen und weisen trotzdem einem Absatz oder Zeichen die geänderten Eigenschaften zu.

Pixelgenaue Layout-Container: Exakt positionieren

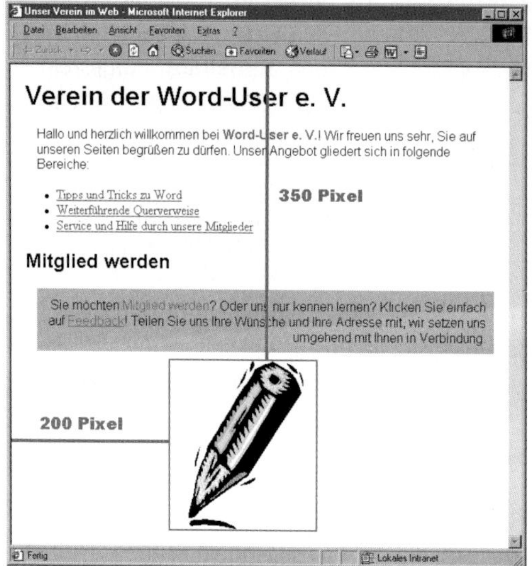

Endlich! Mit CSS können Sie Objekte ganz exakt auf der Seite positionieren. Nehmen wir einmal unsere Grafik.

Diese soll genau 350 Pixel von oben und 200 Pixel von links im Verhältnis zum Seitenrand ausgerichtet werden.

Kein Problem, nutzen Sie einfach <div></div>, unseren Tag zur „freien Absatzgestaltung".

1 Setzen Sie die Grafik (oder den Text) zwischen <div></div>. Die Beispielgrafik heißt *pen.gif*, die Zeile sieht folgendermaßen aus:

```
<div><img src="pen.gif" alt="Stift" width="170"
    height="220"></div>
```

2 Steuern Sie die Position nun per CSS. Das entsprechende Attribut zum Ausrichten heißt *position*, der Wert lautet *absolute*. Außerdem müssen Sie den oberen (*top*) und den linken (*left*) Abstand von der rechten oberen Fensterinnenkante angeben.

3 Sie wollen ein Objekt exakt 350 Pixel von oben und 200 Pixel von links ausrichten? Dann setzen Sie folgende Zeile in den Style-Sheet-Bereich:

```
div { position: absolute; top: 350px; left: 200px; }
```

4 Absolut ist absolut. Sie verkleinern das Browserfenster so stark, dass der Text nach unten hin mehr Raum einnimmt? Dann verdeckt das absolut ausgerichtete Objekt den übrigen Seiteninhalt.

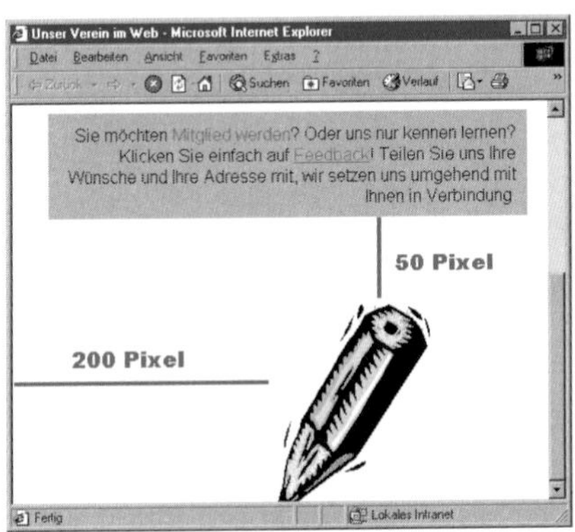

5 Um das zu verhindern, können Sie das Objekt auch relativ ausrichten. Ersetzen Sie das Schlüsselwort *absolute* lediglich durch *relative*. Die folgende Zeile würde den <div>-Container 50 Pixel vom darüber befindlichen Objekt und 200 Pixel vom linken Seitenrand ausrichten:

```
div { position: relative; top: 50px; left:
      200px; }
```

Durch Positionierung lassen sich interessante Effekte erzielen. Natürlich können Sie per *class*-Attribut auch einzelne Klassen bilden. Erstellen Sie so mehrere Container, die Sie auf diese Weise exakt ausrichten. Dabei ist es egal, ob Sie Text oder Grafiken in diese Container einfügen.

Rollover-Links mit Hover

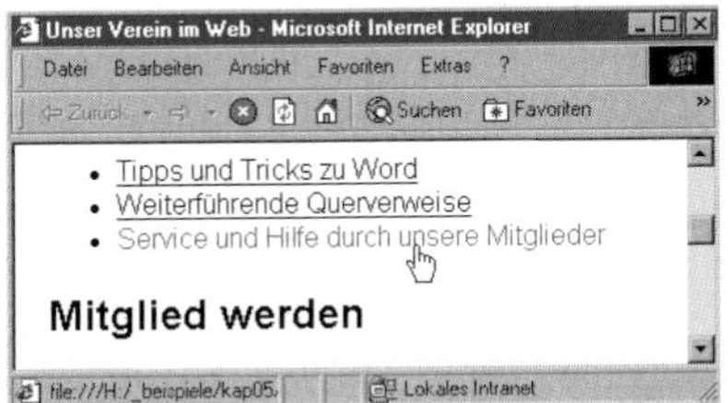

Wie wär's mit etwas Dynamik für Ihre Querverweise? Beispielsweise so, dass der Link beim Darüberstreichen in einer anderen Farbe erscheint? Oder mit einer Farbschattierung hinterlegt wird? Ich zeige Ihnen zuerst ganz allgemein, wie es geht. Am Schluss schlage ich Ihnen eine Lösung für unser „Vereins-Beispiel" vor.

1 Zur Gestaltung von Hyperlinks nutzen Sie die vier in CSS eingebauten Pseudo-Klassen. Achten Sie auf die Syntax, das *A* wird ausnahmsweise groß geschrieben und nicht von einem Punkt, sondern von einem Doppelpunkt gefolgt:

- **A:link**, der normale Hyperlink
- **A:hover**, Hyperlink während des Darüberfahrens mit der Maus
- **A:active**, der aktive Link
- **A:visited**, der besuchte Hyperlink

2 Sie wollen Ihre Hyperlinks interessant gestalten, beispielsweise mit einem „Hover-Effekt" versehen? Sie wollen auf bequeme Art die Unterstreichung abschalten? Und zwar mit *text-decoration: none*? Dann schreiben Sie beispielsweise:

```
A:link { font-family: Arial, Helvetica; font-size: 10pt; color: black; }
A:hover { font-family: Arial, Helvetica; font-size: 10pt; color: red; text-decoration: none; }
A:active { font-family: Arial, Helvetica; font-size: 10pt; }
A:visited { font-family: Arial, Helvetica; font-size: 10pt; }
```

3 Beachten Sie, dass die Pseudo-Klasse *A:hover* zwar schon beim Internet Explorer 4 und 5 und Opera 4 funktioniert, aber bei Netscape erst ab Version 6 interpretiert wird. Im Klartext: Netscape-4.x-Benutzer sehen zwar die umgestalteten Links, aber keinen Hover-Effekt!

4 Und noch etwas müssen Sie beachten: Sie haben im <body> mit *link*, *alink* und *vlink* schon Linkzustände definiert? Dann werden diese überschrieben! Die Style Sheets sind höherwertig!

5 Beachten Sie vor allem, dass die Einstellungen bei *A:visited* alles andere überschreiben. Der Surfer hat Ihre Seiten schon besucht? Dann wird beispielsweise die über *A:hover* festgelegte Farbe (oder abzuschaltende Unterstreichung) dann nicht mehr funktionieren, wenn in *A:visited* eine andere Farbe festgelegt bzw. die Unterstreichung wieder eingeschaltet wurde. Besucht ist besucht!

6 Der Workaround: Lassen Sie diese Eigenschaften in *A:visited* weg. Sie können für den besuchten Link trotzdem zumindest eine andere Farbe definieren. Das gelingt Ihnen im <body>-Tag, und zwar über *vlink*.

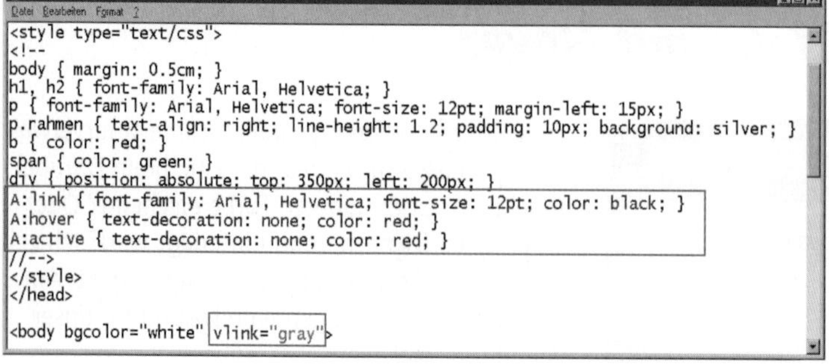

verein.htm - Editor

Datei Bearbeiten Format ?

```
<style type="text/css">
<!--
body { margin: 0.5cm; }
h1, h2 { font-family: Arial, Helvetica; }
p { font-family: Arial, Helvetica; font-size: 12pt; margin-left: 15px; }
p.rahmen { text-align: right; line-height: 1.2; padding: 10px; background: silver; }
b { color: red; }
span { color: green; }
div { position: absolute; top: 350px; left: 200px; }
A:link { font-family: Arial, Helvetica; font-size: 12pt; color: black; }
A:hover { text-decoration: none; color: red; }
A:active { text-decoration: none; color: red; }
//-->
</style>
</head>

<body bgcolor="white" vlink="gray">
```

Genug der Theorie. Schauen Sie sich an, für welche Lösung ich mich entschieden habe. Interessant ist hierbei vor allem die Trickserei über das Attribut *vlink* im <body>-

Tag. Ich möchte, dass besuchte Links grau und unterstrichen angezeigt werden, aber auch, dass der Hover-Effekt zum Tragen kommt. Deshalb lasse ich *A:visited* einfach weg.

Style Sheets extern auslagern

Nutzen Sie Ihre Style Sheets nicht nur in einem, sondern in mehreren Dokumenten. Lagern Sie die Style Sheets aus. Bauen Sie daraus eine „externe Textdatei", die Sie in beliebig vielen Dokumenten nutzen können.

Gerade diese Eigenschaft macht die „Stilbündel" so flexibel. Wie das geht? Ich zeige es Ihnen:

1 Erstellen Sie Ihre Style Sheets in einer einfachen Textdatei. Diese speichern Sie mit der Endung *.css*. Hier gehören wirklich nur die Style Sheets selbst hinein, keine Tags!

normal.css - Editor

Datei Bearbeiten Format ?

```
body { margin: 0.5cm; }
h1, h2 { font-family: Arial, Helvetica; }
p { font-family: Arial, Helvetica; font-size: 12pt; margin-left: 15px; }
p.rahmen { text-align: right; line-height: 1.2; padding: 10px; background: silver; }
b { color: red; }
span { color: green; }
div { position: absolute; top: 350px; left: 200px; }
A:link { font-family: Arial, Helvetica; font-size: 12pt; color: black; }
A:hover { text-decoration: none; color: red; }
A:active { text-decoration: none; color: red; }
```

2 Sie arbeiten mit dem Windows-Editor? Normalerweise vergibt das Programm die Endung *.txt*. Um jedoch die Endung *.css* zu erzwingen, setzen Sie den Dateinamen einfach in Gänsefüßchen! Schreiben Sie beispielsweise „*"normal.css"*".

3 Im HTML-Dokument verweisen Sie nun direkt auf dieses Style Sheet. Dazu schreiben Sie in den Kopfbereich unter </title> und über </head> beispielsweise:

```
<link rel="stylesheet" type="text/css" href=
    "normal.css" />
```

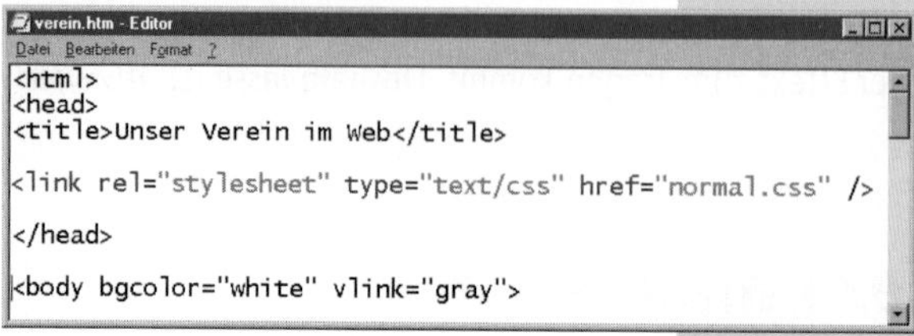


```
<html>
<head>
<title>Unser Verein im Web</title>

<link rel="stylesheet" type="text/css" href="normal.css" />

</head>

<body bgcolor="white" vlink="gray">
```

4 Lassen Sie unbedingt die Tags <style></style> weg. Der komplette Dokumentkopf sieht jetzt beispielsweise nur noch so aus. (Das Style-Sheet-Dokument liegt hier im gleichen Ordner.)

Und diese Style-Sheet-Datei können Sie jetzt so oft verwenden, wie Sie möchten! Ist das nicht wundervoll?

Niemand hindert Sie daran, einzelne Dokumente trotzdem mit lokalen Style-Sheet-Definitionen zu versehen. Und zwar zusätzlich.

Das Bestellformular in XHTML

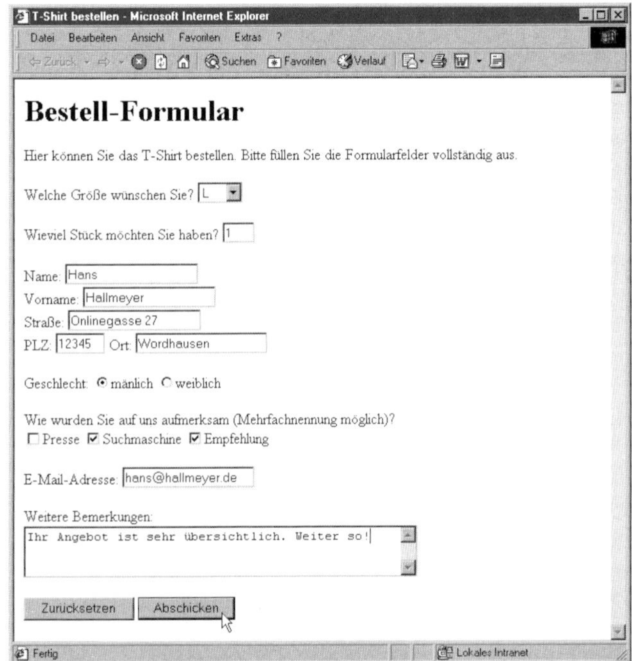

Sie wünschen Feedback? Sie bieten ein Produkt an, das online bestellt werden kann? Wagen Sie sich an das Erstellen von Formularen! Auf den nächsten Seiten verrate ich Ihnen das Wichtigste zum Thema.

Im Beispiel geht es um einen Anbieter, der ein ganz bestimmtes T-Shirt vertreibt. Der Kunde entscheidet sich für Größe und Anzahl, trägt Anschrift und E-Mail-Adresse ein. Füllen Sie auch die übrigen Formularfelder aus.

Außerdem zeige ich Ihnen gleich zu Beginn den kompletten Quelltext dieses XHTML-Dokuments. Schreiben Sie den Text ruhig ab, speichern Sie ihn beispielsweise unter dem Namen *order.htm*. Wir gehen die einzelnen Formularelemente auf den nächsten Seiten Schritt für Schritt durch.

```
<html>
<head>
<title>T-Shirt bestellen</title>
</head>

<body>

<h1>Bestell-Formular</h1>

<form action="irgendein.cgi" method="post">
```

```
<p>
Hier k&ouml;nnen Sie das T-Shirt bestellen. Bitte f&uuml;llen
Sie die Formularfelder vollst&auml;ndig aus.
</p>

<p>
Welche Gr&ouml;&szlig;e w&uuml;nschen Sie? <select name="Groesse" size="1">
<option>S</option>
<option>M</option>
<option>L</option>
<option>XL</option>
<option>XXL</option>
</select>
</p>

<p>
Wie viel St&uuml;ck m&ouml;chten Sie haben?
<input type="text" name="Anzahl" size="2" value="1" />
</p>

<p>
Name: <input type="text" name="Name" /><br />
Vorname: <input type="text" name="Vorname" /><br />
Stra&szlig;e: <input type="text" name="Strasse" /><br />
PLZ: <input type="text" name="PLZ" size="5" maxlength="5" />
Ort: <input type="text" name="Ort" />
</p>

<p>
Geschlecht: <input type="radio" name="Geschlecht" value="m" />m&auml;nlich
<input type="radio" name="Geschlecht" value="w" />weiblich
</p>

<p>
Wie wurden Sie auf uns aufmerksam (Mehrfachnennung m&ouml;glich)?<br />
<input type="checkbox" name="Medium" value="Presse" />Presse
<input type="checkbox" name="Medium" value="Suchmaschine" />Suchmaschine
<input type="checkbox" name="Medium" value="Empfehlung" />Empfehlung
</p>

<p>
E-Mail-Adresse: <input type="text" name="Email" />
```

```
</p>

<p>
Weitere Bemerkungen:<br />
<textarea name="Bemerkungen" rows="3" cols="50" wrap="soft"></textarea>
</p>

<p>
<input type="reset" value="Zur&uuml;cksetzen" />
<input type="submit" value="Abschicken" />
</p>

</form>

</body>
</html>
```

CGI oder E-Mail? Daten abschicken

Was müssen Sie über Formulare wissen? Und vor allem: Wie werden die Daten abgeschickt? Fragen über Fragen!

1 Nun, zuerst gilt: Jedes Formular wird durch <form> eingeleitet und mit </form> geschlossen.

```
<form>
Formularinhalt
</form>
```

2 Schauen wir uns nun die Attribute des einleitenden <form>-Tags etwas genauer an!

```
<form action="irgendein.cgi" method="post">
```

3 Hinter das Attribut *action* setzen Sie als Wert den Pfad zu Ihrem CGI-Programm. Richtig gelesen: Bei großen Firmen wird der Inhalt des Formulars an ein so genanntes CGI-Programm auf dem Server weitergegeben. Die Zeichenfolge *irgendein.cgi* steht natürlich nur als Platzhalter. Das gesamte *action*-Attribut könnte natürlich auch so aussehen:

```
<form action="http://www.beispielfirma.com/
    cgibin/feedback.pl" method="post">
```

4 Hierbei ist *feedback.pl* das Perl-Skript, an das die Webseite die Daten übergibt. Die Nachsilbe *pl* steht für Perl. Und *cgibin* ist der „Eimer für CGIs", die „bin".

Info

Was ist CGI?

Bei CGI handelt es sich um einen sehr allgemeinen Sammelbegriff. CGI ist die Abkürzung für das englische **C**ommon **G**ateway **I**nterface. Das ist nichts weiter als ein „gemeinsames Bindeglied" für Programme, die in der Regel auf dem Webserver installiert sind und interaktiv auf Benutzereingaben reagieren. So könnten Ihre Benutzereingaben an eine Datenbank auf dem Server weitergegeben werden. CGI-Programme sind häufig in der Programmiersprache Perl verfasst. Der Dienstleister muss Ihnen die Möglichkeit gewähren, eigene CGIs auf dem Server abzulegen. Das ist bei vielen Anbietern in der Regel nur gegen einen erheblichen Aufpreis möglich. Tipp: Der HTML-Editor 1st Page 2000 bringt etliche vorgefertigte Perl-Skripts mit! 1st Page bekommen Sie unter www.evrsoft.com.

Formularauswertung per E-Mail

Sie dürfen keine CGI-Programme installieren? Sie haben keine Programmiererfahrung mit Perl bzw. kein vorgefertigtes Skript? Dann lassen Sie sich den Formularinhalt einfach per E-Mail zuschicken. Dafür gibt es zwei Varianten.

- Formularinhalt direkt als Text im Körper der E-Mail
- Formularinhalt als angehängte Datei

In beiden Fällen verwenden Sie das Schlüsselwort *mailto*, gefolgt von Ihrer E-Mail-Adresse. Sie möchten den Inhalt direkt in der E-Mail erhalten? Dann setzen Sie als zusätzliches Attribut einfach *enctype="text/plain"* in den *<form>*-Tag ein. Im Beispiel könnte die Zeile folgendermaßen aussehen.

```
<form action="mailto:IhreAdresse@server.de" method="post" enctype="text/plain">
```

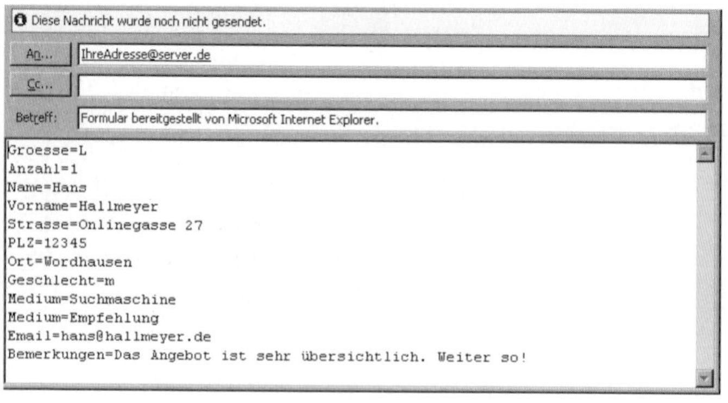

Gern können Sie auch einen Betreff in die E-Mail-Adresse einfügen. Die E-Mail wird dann an die entsprechende Adresse verschickt. Das funktioniert allerdings nur, wenn der Surfer ein korrekt installiertes und funktionierendes E-Mail-Programm besitzt.

Vergleichen Sie mit der Abbildung am Anfang des Kapitels: So erscheint der Text im Beispiel in der E-Mail, wenn Sie sich für die Variante *Formularinhalt direkt als Text im Körper der E-Mail* entschieden haben.

Textfelder als Formelement

Nehmen wir jetzt die einzelnen Eingabefelder etwas genauer unter die Lupe! Im Formular finden Sie etliche so genannte Texteingabefelder vor. Es gibt einfache und mehrzeilige Felder. Außerdem lassen sich diese praktischen Schablonen durch allerlei Attribute steuern.

Einfache Texteingabefelder

Die einfachste und am häufigsten vorkommende „Feldform" sind die einfachen Texteingabefelder. Dafür sorgt der Tag <input />. Texteingabefelder dienen im Beispiel zur Aufnahme von Namen, Vornamen, Straße usw. Schauen Sie sich einmal an, was dahinter steckt. Beachten Sie, dass alle <input />-Tags intern geschlossen werden müssen.

1 Texteingabefelder dienen zur Eingabe von Text oder Zahlen. Die Syntax lautet im Allgemeinen:

```
<input type="text" name="eigener Wert" />
```

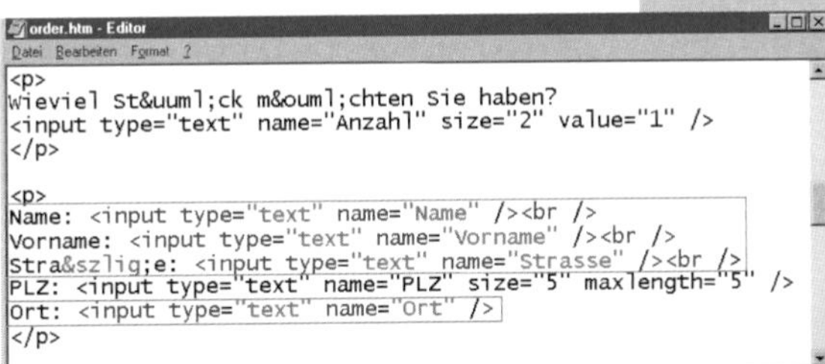

```
order.htm - Editor
Datei  Bearbeiten  Format  ?
<p>
Wieviel St&uuml;ck m&ouml;chten Sie haben?
<input type="text" name="Anzahl" size="2" value="1" />
</p>

<p>
Name: <input type="text" name="Name" /><br />
Vorname: <input type="text" name="Vorname" /><br />
Stra&szlig;e: <input type="text" name="Strasse" /><br />
PLZ: <input type="text" name="PLZ" size="5" maxlength="5" />
Ort: <input type="text" name="Ort" />
</p>
```

2 Ganz konkret besitzt unser Musterformular vier einfache Texteingabefelder. Sie dienen zur Aufnahme von Name, Vorname, Straße und Ort. Lassen Sie sich nicht von den Absätzen <p> und Zeilenumbrüchen <br /> verwirren. Diese Elemente dienen nur zum Gliedern und Ausrichten des Formulars.

3 Bei *name* legen Sie einen eigenen Wert fest, der später zur Wiedererkennung dient. Im Beispiel liegt es nahe, *Name*, *Vorname* usw. als „sprechende Namen" einzusetzen.

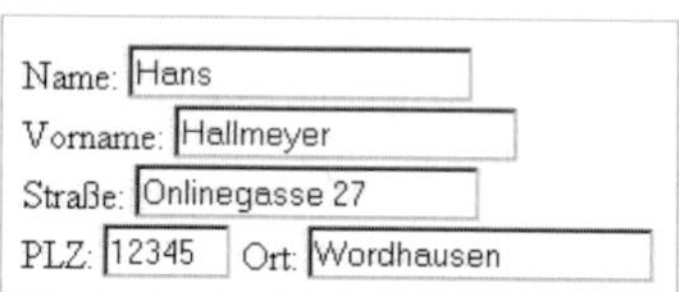

4 Der vom Surfer eingetragene Wert wird als so genannter *value* zurückgegeben. Das ist das, was das CGI-Programm übermittelt bekommt bzw. was bei Ihnen in der E-Mail erscheint.

Attribute für Texteingabefelder

Sicher haben Sie schon gemerkt, dass einige Texteingabefelder unterschiedliche Attribute besitzen. Und tatsächlich: Sie können Ihre Texteingabefelder nach allen Regeln der Kunst steuern. Hier zuerst eine Übersicht:

- *size* legt die optische Länge fest. Die mögliche Länge ist unbegrenzt.
- *maxlength* legt die maximal erlaubte Länge fest, danach blockiert der Cursor.
- *value* erlaubt eine Vorgabe, schreiben Sie beispielsweise *value="10249"*.

Schauen Sie sich das Ganze wieder am Beispiel an.

Wieviel Stück möchten Sie haben? 1

1 Wie viel Stück möchten Sie bestellen? Gleich das erste Texteingabefeld wird zusätzlich durch zwei Attribute gesteuert.

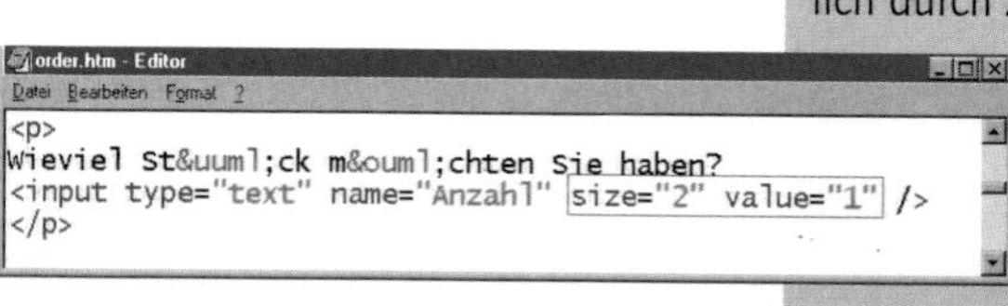

2 Die optische Länge (*size*) begrenzt das Textfeld auf eine bestimmte Größe. Mit *value="1"* sorgen Sie dafür, dass 1 als Voreinstellung im Textfeld steht.

PLZ: 12345 Ort: Wordhausen

3 Sie wollen ein Eingabefeld für Postleitzahlen schreiben? Dann ist es neben der optischen Länge empfehlenswert, das Feld auch „mechanisch" zu begrenzen.

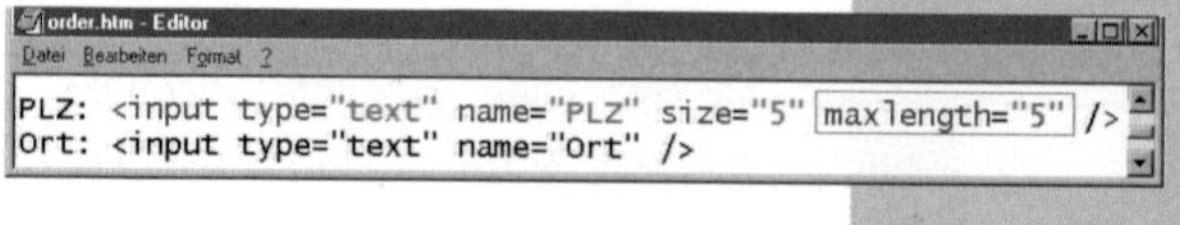

4 Mit *maxlength="5"* ist sichergestellt, dass wirklich nur 5 Zeichen eingegeben werden können, nicht mehr.

Übrigens: Auch ein Passwortfeld ist möglich. Schreiben Sie nach dem Muster

```
<input type="password" name="Passwort" size="25" maxlength="20" />
```

Nun werden Sie vor neugierigen Blicken geschützt, da statt der Werte Sternchen erscheinen. Damit ist aber weder eine Verschlüsselung der Daten noch eine sichere Übertragung gewährleistet. Egal ob Passwortfeld oder nicht, die Daten reisen trotzdem ungeschützt durchs Web bzw. zum CGI-Programm. Im Beispiel habe ich darauf verzichtet.

Mehrzeiliges Texteingabefeld

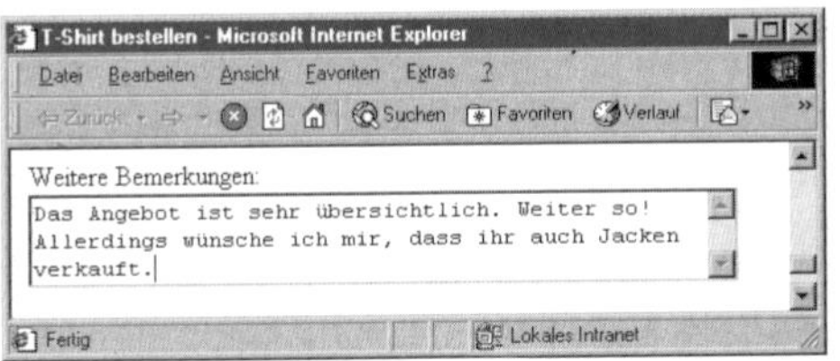

Im Formular gibt es neben den einfachen Texteingabefeldern auch ein mehrzeiliges Feld. Solche Felder eignen sich besonders gut für Kommentare. Auch hier sind wieder mehrere Attribute im Spiel.

1 Dem Beispielfeld liegt folgender Quellcode zugrunde:

```
<textarea name="Bemerkungen“ rows="3"
   cols="50" wrap="soft“></textarea>
```

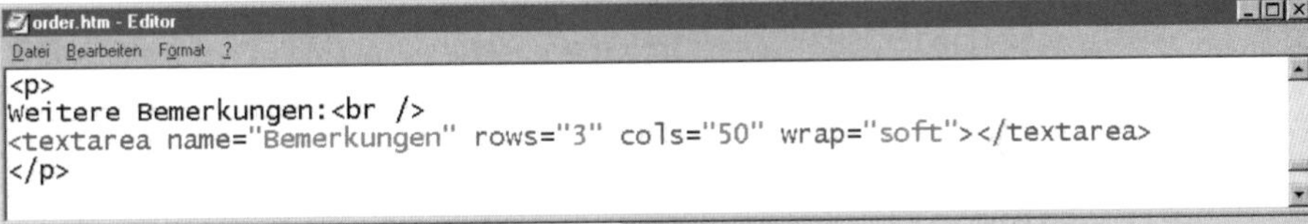

2 Das Attribut *rows* bestimmt die Anzahl der anzuzeigenden Zeilen. Hier werden drei Zeilen angezeigt.

3 Mit *cols* bestimmen Sie die Anzahl der anzuzeigenden Zeichen. Das Attribut hat also Einfluss auf die Breite des Textfeldes.

4 Die Anweisung *wrap="soft"* sorgt dafür, dass ein automatischer Zeilenumbruch stattfindet. Ältere Browser vergessen sonst das Umbrechen des Textes.

5 Und *name="Bemerkungen"* ist zur späteren Wiedererkennung gedacht.

Übrigens kann der Benutzer unabhängig von der optischen Voreinstellung weitere Zeilen eintragen. Falls der Feldinhalt nicht mehr sichtbar ist, werden die Rollbalken aktiv.

Bitte wählen: Das Klappmenü als Auswahlfeld

Die Textfelder sind noch nicht alles! Im Formular gibt es noch mehr interessante Elemente. Schauen Sie sich als Nächstes die so genannten Auswahlfelder an. Ideal für ein Klappmenü.

Und solch ein Klappmenü finden Sie auch in unserem Formular. Hier alles, was Sie dazu wissen müssen.

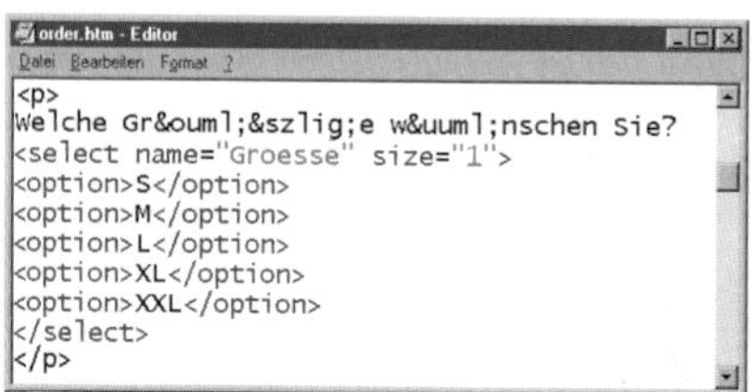
order.htm - Editor

Datei Bearbeiten Format ?

```
<p>
Welche Gr&ouml;&szlig;e w&uuml;nschen Sie?
<select name="Groesse" size="1">
<option>S</option>
<option>M</option>
<option>L</option>
<option>XL</option>
<option>XXL</option>
</select>
</p>
```

1 Zuerst zeige ich Ihnen den Quelltext, der sich dahinter verbirgt. Die betreffenden Stellen habe ich farbig hervorgehoben. Danach besprechen wird die einzelnen Elemente in Ruhe.

2 Ein Auswahlfeld wird durch den <select>-Tag eingeleitet und mit </select> wieder geschlossen. Das Surfer soll schließlich „a good selection" treffen können.

```
<select>
...
</select>
```

3 Das Attribut *size="1"* im <select>-Tag sorgt dafür, dass nur ein einziges Feld angezeigt wird. Dadurch entsteht diese Klappliste. Bei *size="2"* würden Sie zwei Felder sehen. Die Voreinstellung bei *size* ist allerdings *1*, sodass Sie diesen Wert auch weglassen könnten. Vergessen Sie nicht *name*, damit Sie Feld und Wert später zuordnen können!

```
<select name="Groesse" size="1">
```

4 Die einzelnen „Auswahlposten" wiederum stehen zwischen <option></option>. Hier können Sie so viele Einträge einbauen, wie Sie lustig sind. Die Breite des Feldes richtet sich nach der Breite des längsten Eintrags.

```
<option>S</option>
<option>M</option>
<option>L</option>
<option>XL</option>
<option>XXL</option>
```

Und damit kennen Sie schon den Aufbau dieser cleveren Auswahlfelder. Wichtig ist, dass der Surfer nur eine Möglichkeit unter mehreren auswählen kann.

Guter Empfang: Radioknöpfe und Kontrollkästchen

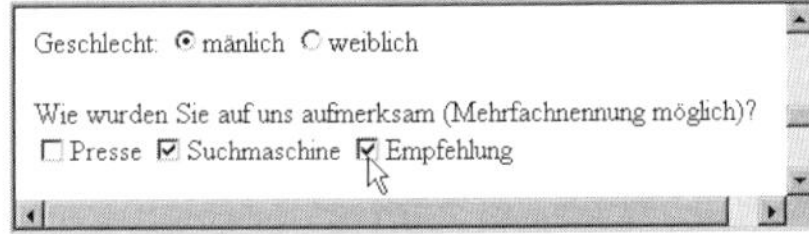

Schauen wir uns die nächste Kategorie in unserem Formular an! Schließlich fehlen noch die Kontrollkästchen und Radioknöpfe. Hier die betreffende Stelle des Formulars: Und was verbirgt sich dahinter?

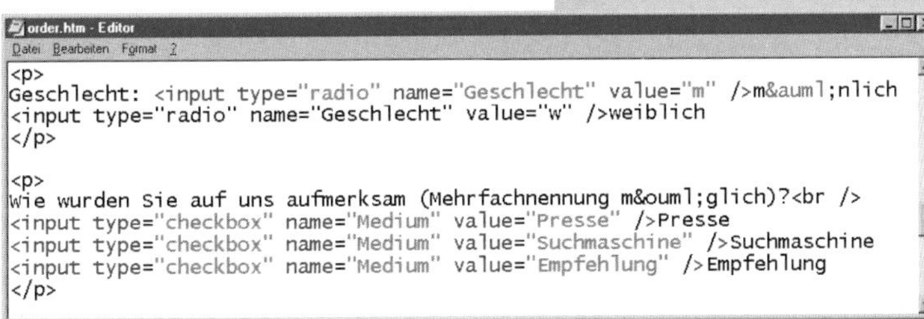


```
<p>
Geschlecht: <input type="radio" name="Geschlecht" value="m" />m&auml;nlich
<input type="radio" name="Geschlecht" value="w" />weiblich
</p>

<p>
Wie wurden Sie auf uns aufmerksam (Mehrfachnennung m&ouml;glich)?<br />
<input type="checkbox" name="Medium" value="Presse" />Presse
<input type="checkbox" name="Medium" value="Suchmaschine" />Suchmaschine
<input type="checkbox" name="Medium" value="Empfehlung" />Empfehlung
</p>
```

1 Zuerst zeige ich Ihnen den kompletten Quelltextausschnitt noch einmal im Überblick!

2 Sie haben es mit Radioknöpfen zu tun, den „radio buttons". Lachen Sie nicht, die Bezeichnung wurde tatsächlich von alten Röhrenradios abgeschaut. Sie „drücken" bzw. klicken einen Knopf „rein", schon „springt" der andere

„heraus". Im Beispiel kann zwischen *männlich* oder *weiblich* gewählt werden.

3 Radioknöpfe werden mit dem Attribut *type="radio"* erzeugt. Damit mehrere Knöpfe zu einer „Gruppe" gehören, müssen Sie diesen Knöpfen den gleichen Namen verpassen:

```
<input type="radio" name="Geschlecht"
   value="m" />m&auml;nlich
<input type="radio" name="Geschlecht"
   value="w" />weiblich
```

4 Außerdem wird der *value* hier direkt im Tag eingetragen. Aus Gründen der Kürze und Einfachheit habe ich mich für m und w entschieden.

5 Und was verbirgt sich hinter den Kontrollkästchen, den „Check-Boxen"? Der Unterschied: Hier kann man auch eine Mehrfachauswahl treffen!

```
<input type="checkbox" name="Medium"
   value="Presse" />Presse
<input type="checkbox" name="Medium"
   value="Suchmaschine" />Suchmaschine
<input type="checkbox" name="Medium"
   value="Empfehlung" />Empfehlung
```

6 Ansonsten gilt das Gleiche wie bei den Radioknöpfen. Um mehrere Check-Boxen zu „gruppieren", müssen Sie für alle Tags den gleichen Namen vergeben.

Die Anordnung der Knöpfe im Beispiel ist übrigens kein Dogma. Sie können diese Felder, Radioknöpfe oder Kontrollkästchen natürlich auch untereinander setzen.

Wenn Sie alle Formularelemente exakt ausrichten möchten, empfehle ich Ihnen eine Tabelle. Mehr zur Tabellengestaltung verrate ich Ihnen einige Seiten weiter hinten.

Ab die Post: Submit- und Reset-Button

Damit ist das Formular fast fertig, aber nur fast. Es fehlen noch zwei wichtige Schaltflächen, die Sie unbedingt in Ihr Formular einbauen sollten. Es sind die Schaltflächen zum *Zurücksetzen* (*reset*) bzw. *Abschicken* der Daten (*submit*).

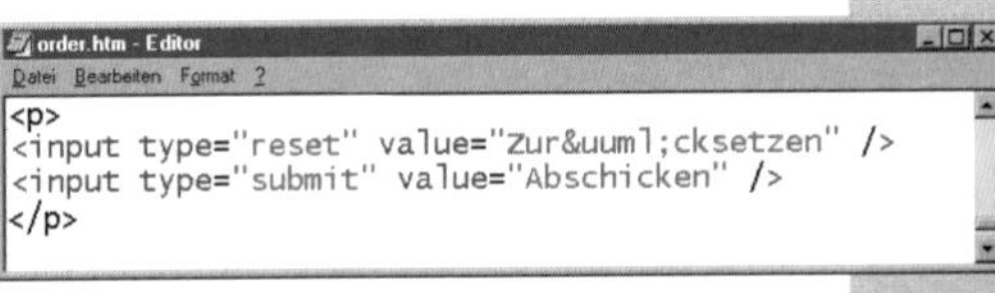

1 Hier der Quellcode für beide Schaltflächen im Überblick.

2 Der Code für einen „Reset-Schalter" sieht so aus. Das, was Sie bei *value* eintragen, erscheint als Beschriftung der Schaltfläche.

<input type="reset" value="Zurücksetzen" />

3 Für den „Submit-Schalter" ersetzen Sie einfach *type="reset"* durch *type="submit"*.

<input type="submit" value="Abschicken" />

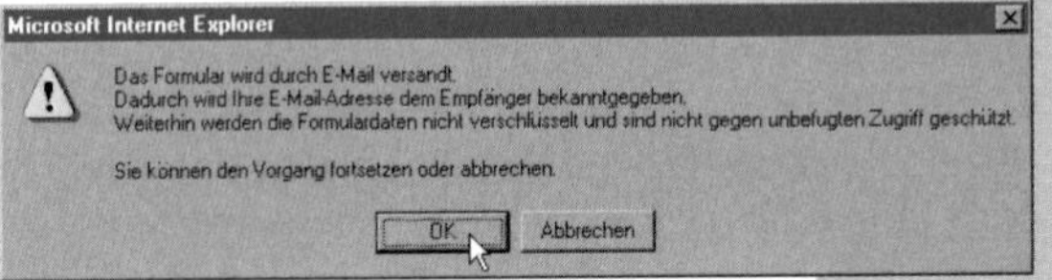

4 Nach Drücken des Submit-Buttons wird der Formularinhalt an das CGI-Programm weitergeleitet. Falls der Formularinhalt jedoch per E-Mail geschickt wird, erscheint in der Regel vorher ein Warnhinweis. Das ist normal.

Wie Sie sehen, ist es wirklich einfach, Formulare in (X)HTML zu erstellen. Damit halten Sie eine nützliche und praktische Funktion in den Händen.

Info

Erstellen Sie Formulare per Hand

Sie arbeiten mit HTML-Editoren wie FrontPage, GoLive oder Dreamweaver? Oder Sie erstellen die Homepage mit Word? Dann empfehle ich Ihnen dringend, zumindest Ihre Formulare per Hand zu erstellen. Denn ehe Sie begriffen haben, wie das Erstellen von Formularen im jeweiligen Programm funktioniert, sind Sie mit Handarbeit dreimal fertig. Zwar entsteht bei diesen Programmen im Endeffekt auch der korrekte HTML-Code für Formulare. Doch beim Einfügen verfolgt jedes Programm eine andere Philosophie, die Sie erst mühevoll lernen müssen.

Der Onlineshop: Tolles Layout mit Tabellen

Spaltensatz? Seitenränder? Pixelgenaues Layout? Exaktes Platzieren von Grafiken? Pustekuchen! Bei „gewöhnlichem" HTML ohne Style Sheets galt bisher:

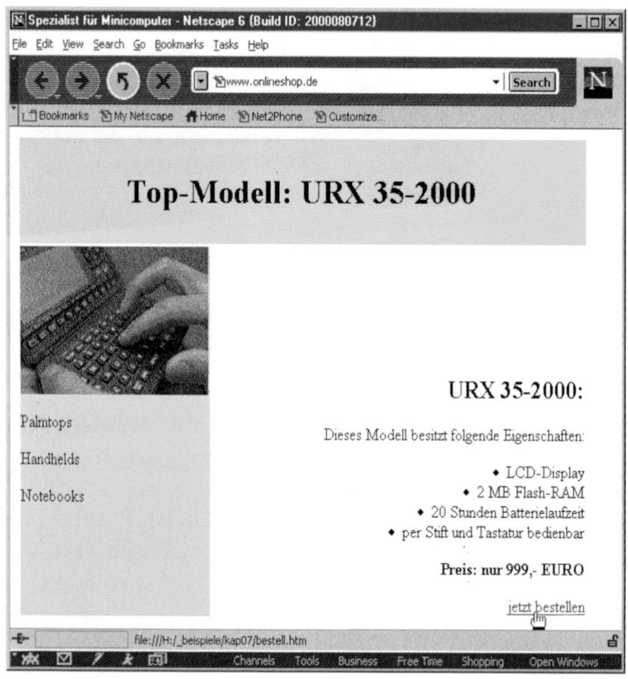

Der Browser stellt Ihre Seiten so dar, wie er gerade Lust und Laune hat. Und auch bei der Verwendung von Style Sheets gilt immer noch: Nur neuere Browser zeigen auch alle Eigenschaften korrekt an. Deshalb entdeckten findige Webdesigner schon frühzeitig den Tabellentrick! Nutzen auch Sie die Vorteile der sichtbaren und vor allem der unsichtbaren Tabellen. In diesem Kapitel zeige ich Ihnen, wie Sie Elemente in Tabellenzellen platzieren und pixelgenau ausrichten. Hier einmal vorab das Beispiel für dieses Kapitel:

Fügen Sie eine Tabelle ein

Sie wollen ganz groß einsteigen? Ihre Seite mit unsichtbaren Tabellen gestalten? Gern! Doch bevor es so weit ist, zeige ich Ihnen die Grundzüge der Tabellengestaltung in HTML. Beginnen wir wie immer bescheiden mit ein paar „Basics".

1 Was müssen Sie über Tabellen wissen? Eigentlich nicht viel!

- Tabellen werden von <table> eingeleitet und durch </table> geschlossen.
- Jede Zeile (*table row*) beginnt mit <tr> und endet mit </tr>.
- Eine Zelle (*table data*) wird durch <td></td> definiert.

Nun denn, probieren Sie es aus!

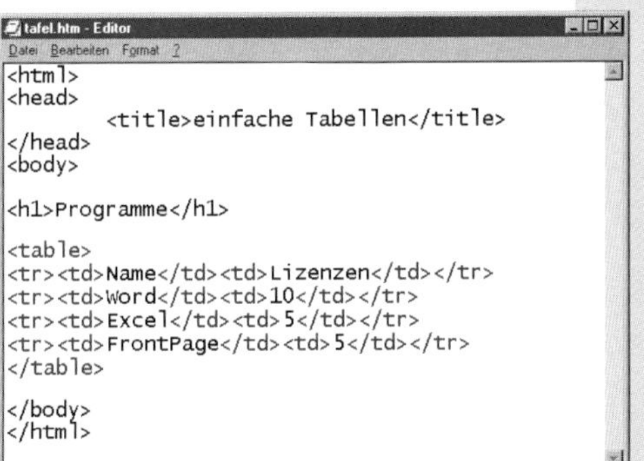

2 Hier als Vorschlag zuerst ein ganz einfaches Beispiel für eine „Minimaltabelle". Ich liefere Ihnen die Tabelle zusammen in einem kompletten HTML-Dokument.

3 Die Tabelle beginnt mit <table>. Eine Zeile ist durch <tr></tr> erkennbar.

4 Der Zellinhalt wird durch <td></td> umschlossen. Es ist wirklich nicht schwer!

5 Und so sieht die Tabelle im Quelltext aus. Sicher kann man damit noch keinen Blumentopf gewinnen, aber immerhin – es ist vollbracht!

Tabellen gestalten und erweitern

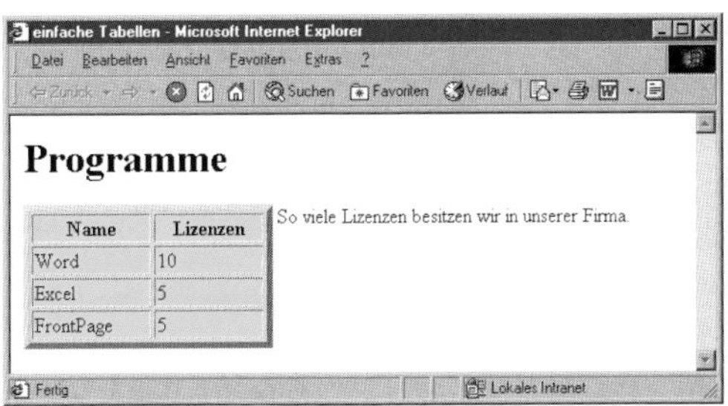

Die Tabelle sieht wirklich nicht sehr attraktiv aus. Alles wirkt gequetscht und ungeordnet. Peppen Sie die „Tafel" etwas auf. Egal ob Rahmenlinien, 3-D-Effekt, Hintergrundfarbe oder Textfluss, alles ist möglich. Hier zuerst der Gesamtüberblick über die wichtigsten in Tabellen möglichen Gestaltungsoptionen.

1 Normalerweise werden keine Rahmenlinien angezeigt. Wenn Sie Rahmenlinien wünschen, setzen Sie einfach das Attribut *border* in den <table>-Tag. Als Wert geben Sie die Größe der Rahmenlinien in Pixeln an. Mit folgender Angabe erhält die Tabelle „gewöhnliche" Rahmenlinien:

```
<table border="1">
```

2 Ohne weitere Attribute findet kein Textfluss um die Tabelle statt. Soll eventuell unter der Tabelle befindlicher Text drum herum fließen? Dann machen Sie's so wie bei den Grafiken: Setzen Sie das Attribut *align* in den <table>-Tag. Die folgende Anweisung lässt den Text rechts um die Tabelle fließen:

```
<table border="1" align="left">
```

3 Per Voreinstellung sind die Tabellenzellen nur so breit wie der breiteste Inhalt. Text wird gnadenlos umbrochen. Sie wollen die Breite der Tabelle individuell steuern? Dann verwenden Sie das Attribut *width*. Geben Sie die gewünschte Breite relativ in Prozent (z. B. 80 %) oder absolut in Pixeln an (z. B. 500). Die folgende Tabelle füllt 50 % der Bildschirmbreite:

```
<table border="1" width="50%">
```

4 Sie können auch die Höhe einer Zelle bestimmen. Verwenden Sie dazu das Attribut *height*, schreiben Sie beispielsweise *height="20"*. Setzen Sie dieses Attribut jedoch in den entsprechenden <td> bzw. <th>-Tag. So bestimmen Sie die Höhe einer einzelnen Zelle und damit auch der gesamten Zeile. Die benachbarte(n) Zelle(n) erben diese Eigenschaft. Dazu mehr im Zusammenhang mit unseren „größeren" Projekten.

5 Farbe macht das Leben bunt! Versehen Sie Ihre Tabelle mit einer schicken Hintergrundfarbe. Das gelingt Ihnen mit *bgcolor*. Auch einzelne Zellen lassen sich so mit einer Hintergrundfarbe versehen. Die folgende Tabelle wird insgesamt gelb eingefärbt.

```
<table border="1" width="50%" bgcolor=
  "yellow">
```

6 Sie möchten, dass die Werte der ersten Zeile etwas attraktiver gestaltet werden? Wie wäre es mit fett und zentriert? Können Sie haben! Ersetzen Sie einfach *<td></td>* (**t**able **d**ata) durch <th></th> (**t**able **h**ead, Tabellenkopf). Dieser Tag hebt die erste Zeile etwas hervor. Schreiben Sie beispielsweise:

```
<tr><th>Name</th><th>Lizenzen</th></
  tr>
```

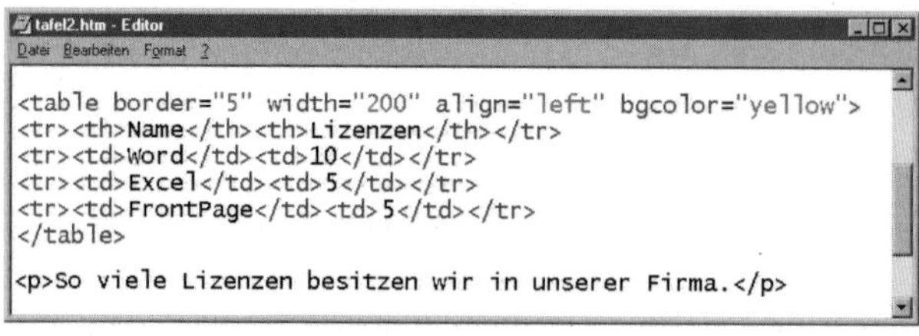

tafel2.htm - Editor

Datei Bearbeiten Format ?

```
<table border="5" width="200" align="left" bgcolor="yellow">
<tr><th>Name</th><th>Lizenzen</th></tr>
<tr><td>Word</td><td>10</td></tr>
<tr><td>Excel</td><td>5</td></tr>
<tr><td>FrontPage</td><td>5</td></tr>
</table>
<p>So viele Lizenzen besitzen wir in unserer Firma.</p>
```

Schauen Sie sich die Mustertabelle von oben in einer „umgebauten" Fassung an! Die Rahmenbreite beträgt 5 Pixel (*border="5"*), die Hintergrundfarbe ist Gelb (*bgcolor="yellow"*). Als Gesamtbreite habe ich 200 Pixel (*width="200"*) gewählt. Ich zeige Ihnen den Quelltext für die wichtigen Passagen:

3-D-Effekt bei Rahmenlinien

Ist es Ihnen schon aufgefallen? Falls Sie breitere Rahmenlinien angeben als 1 Pixel (beispielsweise *border="5"*), entsteht bei den meisten Browsern ein 3-D-Effekt.

Zellen miteinander verbinden

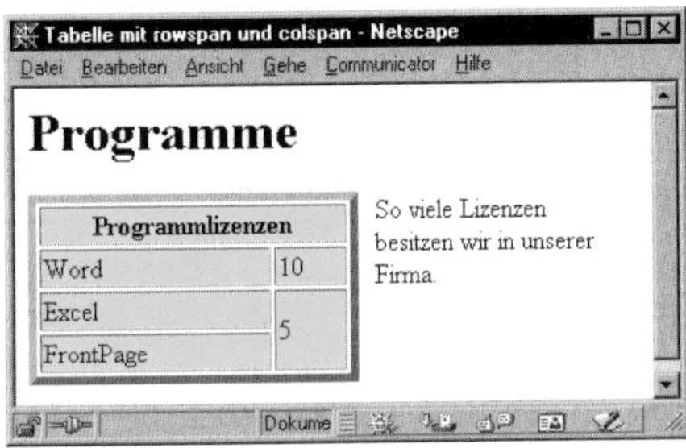

Schauen Sie sich unsere erste Beispieltabelle etwas genauer an. Für ein noch interessanteres Layout können Sie sogar Zellen miteinander „verschmelzen". Beispielsweise so: Im Beispiel haben wir aus den oberen beiden Zellen eine gezaubert. Auch die unteren beiden Zellen in der rechten Spalte sind einfach so zusammengelegt worden. Doch wie geht das genau?

1 Sie wollen zwei oder mehrere Zellen in einer Zeile miteinander verbinden? Nutzen Sie das Attribut *colspan*. Mit *colspan="2"* erstreckt sich eine Zelle beispielsweise über zwei Spalten (**col**umn heißt Spalte).

<th colspan="2">

2 Das Gegenstück dazu heißt *rowspan*. Mit *rowspan="2"* erstreckt sich die Zelle über zwei Zeilen (*row* heißt Reihe, Zeile).

<td rowspan="2">

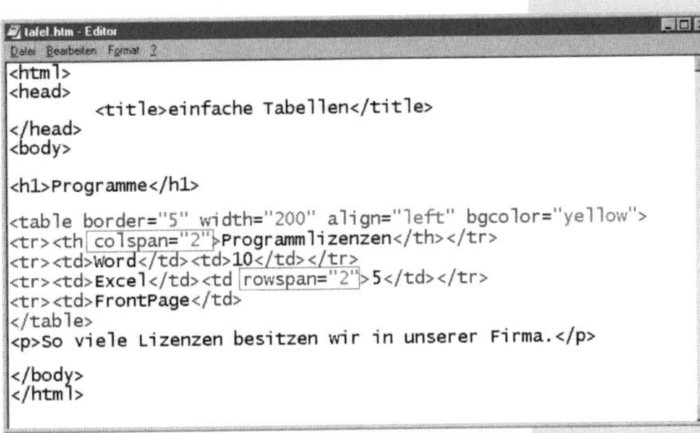

tafel.htm - Editor

Datei Bearbeiten Format ?

```
<html>
<head>
        <title>einfache Tabellen</title>
</head>
<body>

<h1>Programme</h1>

<table border="5" width="200" align="left" bgcolor="yellow">
<tr><th colspan="2">Programmlizenzen</th></tr>
<tr><td>Word</td><td>10</td></tr>
<tr><td>Excel</td><td rowspan="2">5</td></tr>
<tr><td>FrontPage</td>
</table>
<p>So viele Lizenzen besitzen wir in unserer Firma.</p>

</body>
</html>
```

3 Hier der Quelltext des kompletten HTML-Dokuments. Die betreffenden Passagen habe ich hervorgehoben. Vergessen Sie nicht, die überschüssigen Zellen zu entfernen. Da sich eine Zelle nun über eine weitere Spalte und die andere Zelle über eine weitere Zeile „lümmelt", werden also zwei Zellen überflüssig.

Kompliziert? Das ist pure Logik, sonst nichts. Versuchen Sie, das Grundgerüst der Tabelle vorher genau zu durchdenken. Stellen Sie es sich so vor, dass sich die Zelle über so und so viel Zeilen bzw. Spalten „spannt".

Zellinhalt exakt ausrichten

Jetzt kennen Sie das Tabellen-Einmaleins. Steigen Sie ein in die „hohe Schule" der „Tabellenkunst". Und damit das Ganze auch Spaß macht, wenden wir uns endlich dem Beispiel vom Anfang des Kapitels zu. Planen Sie zuerst Ihre (unsichtbare) Tabelle für exaktes, pixelgenaues Layout.

1 Mein Tipp: Bevor Sie beginnen, sollten Sie das Layout der Tabelle planen. Zeichnen Sie das Ganze ruhig auf ein Blatt Papier. Bestimmen Sie den entsprechenden Inhalt. Legen Sie fest, wie hoch bzw. breit die einzelnen Zellen werden sollen. Auch über die Ausrichtung (links, rechts, zentriert, oben, mittig oder unten) können Sie sich schon Gedanken machen.

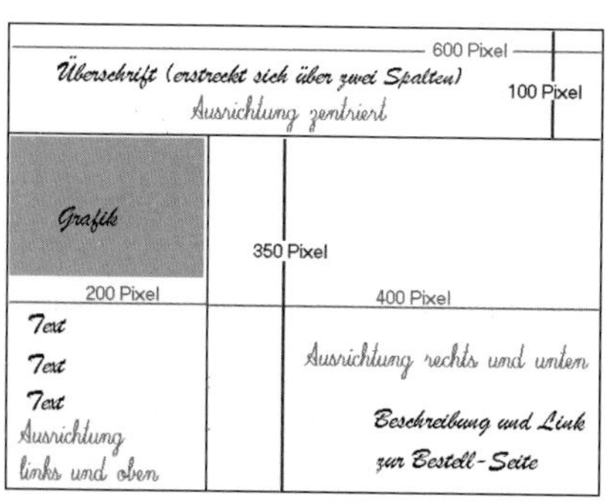

2 Nutzen Sie zum Einstellen von Höhe und Breite die schon bekannten Attribute.

- *width*, beispielsweise *width= "100%"* bzw. *width="200"*
- *height*, beispielsweise *height="300"*

3 Definieren Sie Höhe und Breite jeweils in den entsprechenden <th>- bzw. <td>-Tags. Zwar wäre es praktisch, diese Attribute gleich in <tr>-Tag zu „verfrachten". Doch der Netscape-Browser hat damit Schwierigkeiten! Die Beispieltabelle besitzt nur <td>-Tags.

4 Hier schon einmal der Quelltext für das gesamte Dokument vom Anfang des Kapitels. Was sich hinter den einzelnen Zeilen verbirgt, verrate ich Ihnen gleich ...

tabelle1.htm - Editor

Datei Bearbeiten Format ?

```
<html>
<head>
        <title>Spezialist f&uuml;r Minicomputer</title>
</head>
<body>
<table border="0" width="600">
<tr>
<td colspan="2" bgcolor="yellow" width="600" height="100" >
    <h1>Top-Modell: URX 35-2000</h1>
</td>
</tr>
<tr>
<td width="200" height="350" bgcolor="yellow">
<img src="palmtop.gif" width="200" height="140" border="0" alt="URX 35-2000" />
     <p>Palmtops</p>
     <p>Handhelds</p>
     <p>Notebooks</p>
</td>
<td width="400" height="350">
<h2>URX 35-2000:</h2>
<p>Dieses Modell besitzt folgende Eigenschaften:</p>
<ul>
    <li>LCD-Display</li>
    <li>2 MB Flash-RAM</li>
    <li>20 Stunden Batterielaufzeit</li>
    <li>per Stift und Tastatur bedienbar</li>
</ul>
<p><b>Preis: nur 999,- EURO</b></p>
<p><a href="bestell.htm">jetzt bestellen</a></p>
</td>
</tr>
</table>
</body>
</html>
```

5 Die Seite wurde für eine Bildschirmauflösung von 640 x 480 optimiert. Die Tabelle ist daher 600 Pixel breit und insgesamt 450 Pixel hoch. In die linke Zelle der unteren Reihe wurde eine Grafik integriert, die 200 Pixel breit und 140 Pixel hoch ist.

6 Die *width*-Angabe im <table>-Tag (*width="600"*) sorgt für die stabile Breite der gesamten Tabelle.

7 Die erste Zelle erstreckt sich über zwei Spalten (*colspan="2"*). Sie ist ebenfalls 600 Pixel breit (*width="600"*) und außerdem 100 Pixel hoch (*height="100"*). Als Hintergrundfarbe wurde Gelb ausgewählt (*bgcolor="yellow"*).

8 Die nächste Zelle ist 200 Pixel breit und 350 Pixel hoch. Auch hier lautet die Hintergrundfarbe Gelb. Die Zelle daneben ist 400 Pixel breit (200 + 400 ergibt nach Adam Riese wieder 600!) und ebenfalls 350 Pixel hoch.

Die Höhe könnten Sie in diesem Fall auch weglassen. Sie wird aus der linken Zelle „vererbt".

Zellinhalt ausrichten mit align und valign

Und so sieht die Tabelle bisher aus. Schauen Sie genau hin! Und tatsächlich:

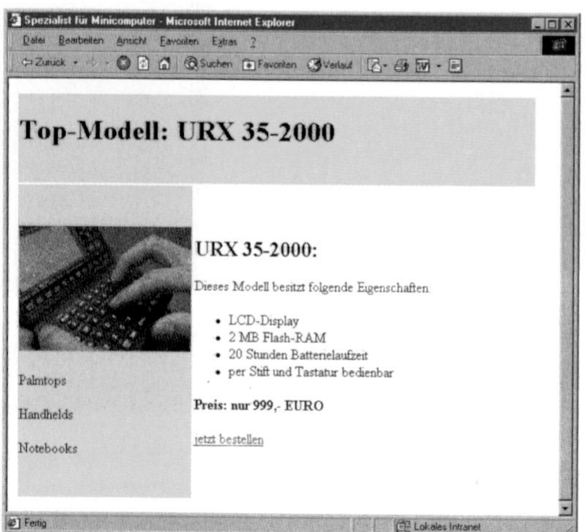

Es gibt einen Schönheitsfehler! Jeglicher Zellinhalt wird linksbündig ausgerichtet. Die Vertikalausrichtung ist außerdem normalerweise mittig.

Damit haben Sie etwas Interessantes herausgefunden: linksbündig (*align="left"*) und mittig (*valign="middle")* sind die Voreinstellungen bei der Ausrichtung des Zellinhalts in der Zelle. Dagegen sollten Sie etwas unternehmen! Nutzen Sie zwei weitere Attribute,

1 Das schon bekannte Attribut *align* kann die ebenfalls bekannten Werte *left* (Voreinstellung) *center* (zentriert) oder *right* (rechtsbündig) annehmen. Um Zellinhalt rechtsbündig auszurichten, schreiben Sie beispielsweise

align="right"

2 Die Vertikalausrichtung wird durch *valign* erledigt. Das Attribut *valign* (**v**ertical **align** heißt Vertikalausrichtung) kann die Werte *middle* (Voreinstellung), *top* (oben) oder *bottom* (unten) annehmen. Um Zellinhalt an der Zelloberkante auszurichten, schreiben Sie:

valign="top"

3 Mit diesem Wissen richten Sie nun den Zellinhalt wunschgemaß aus. Hier die kom-

```
tabelle1.htm - Editor
Datei  Bearbeiten  Format  ?
<table border="0" width="600">
<tr>
<td colspan="2" bgcolor="yellow" width="600" height="100" align="center">
    <h1>Top-Modell: URX 35-2000</h1>
</td>
</tr>
<tr>
<td width="200" height="350" bgcolor="yellow" valign="top">
<img src="palmtop.gif" width="200" height="140" border="0" alt="URX 35-2000" />
     <p>Palmtops</p>
     <p>Handhelds</p>
     <p>Notebooks</p>
</td>
<td width="400" height="350" align="right" valign="bottom">
<h2>URX 35-2000:</h2>
<p>Dieses Modell besitzt folgende Eigenschaften:</p>
<ul>
    <li>LCD-Display</li>
    <li>2 MB Flash-RAM</li>
    <li>20 Stunden Batterielaufzeit</li>
    <li>per Stift und Tastatur bedienbar</li>
</ul>
<p><b>Preis: nur 999,- EURO</b></p>
<p><a href="bestell.htm">jetzt bestellen</a></p>
</td>
</tr>
</table>
```

plett veränderte und ergänzte Tabelle im Quelltext:. Die entsprechenden Passagen habe ich hervorgehoben.

4 Die Überschrift in der ersten Zelle wird zentriert ausgerichtet (*align="center"*). Der Text in der rechten Zelle wird dagegen rechts (*align="right"*) und am Fuß ausgerichtet (*valign="bottom"*)

5 Der Inhalt der linken Zelle der zweiten Reihe „kuschelt sich" an den oberen Rand (*valign="top"*).

6 Der Text in der rechten Zelle wird dagegen rechtsbündig (*align="right"*) und am Fuß der Zelle ausgerichtet (*valign="bottom"*)

Sie haben es geschafft! Vergleichen Sie nun mit der Tabelle vom Anfang des Kapitels.

Info

Tabelle passt sich der Breite des Browserfensters an

Sie wollen noch einen Trick kennen lernen? Dann nehmen Sie die *width*-Angabe im <table>-Tag etwas genauer unter die Lupe. Diese Angabe ist deshalb so wichtig, weil sie die Breite der gesamten Tabelle sichert. Sie ist also höherwertig als die Angaben in den einzelnen Tabellenzellen. Wenn Sie die *width*-Angabe aus dem *<table>*-Tag entfernen, kommt ein interessante Phänomen zum Zuge! Die Tabelle bleibt nur so lange „formstabil", wie das Browserfenster breiter als die Tabelle ist. Sobald Sie das Browserfenster verkleinern, passt sich die Tabellenbreite nun automatisch an! Und zwar ungerührt davon, dass in der ersten Tabellenzelle ein *width="600"* steht! Schließlich fehlt die Breitenangabe in <table>!

Logo perfekt einbinden mit Frames

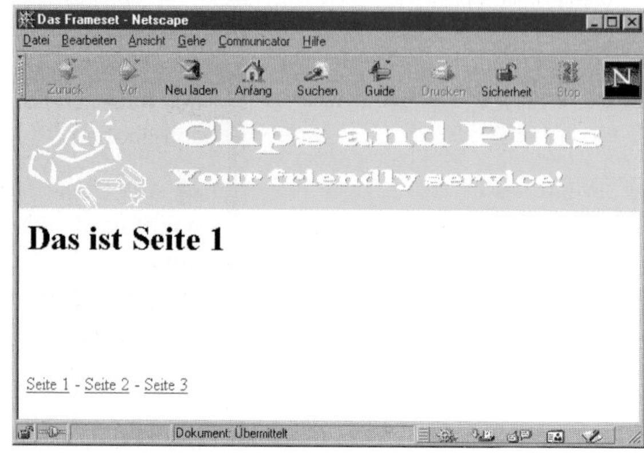

Frames? Das sind diese verschiebbaren Fensterrahmen auf Webseiten! Frames sind ungeheuer praktisch. Erleichtern Sie den Besuchern die Navigation. Erzeugen Sie ein Menü, das nicht wegrollen kann. Setzen Sie Ihr Logo an eine fest definierte Position. Und damit sind wir auch schon bei einem der Beispiele für das Kapitel. Die folgende Seite ist in drei Bereiche aufgeteilt:

Info

Arbeiten Sie ruhig mit Frames!

Auch wenn es zu Frames im Web einen regelrechten Glaubenskrieg gibt: Nutzen Sie sie ruhig! Heute beherrschen praktisch alle Anzeigeprogramme diese verschiebbaren Fensterrahmen. Der Netscape Navigator war der erste Browser, der Frames interpretierte, und zwar schon in der Version 2. Selbst der Internet Explorer kennt sie seit der Version 3. Die ursprünglich von Netscape erfundenen Frames gehören seit 1997/1998 auch zum offiziellen HTML-Standard.

Bitte planen: Frames entstehen im Kopf

Frames sind kompliziert? I wo, nicht die Spur. Auch wenn die Versuchung lockt. Lassen Sie gerade bei diesem Thema Ihre „visuellen Tools" außen vor. Programme wie FrontPage, GoLive und Konsorten brauchen Sie nicht. Ehe Sie gelernt haben, mit irgendwelchen „Frame-Editoren" zurecht zu kommen, sind Sie im Handbetrieb dreimal fertig. Wetten? Frames entstehen zuallererst im Kopf. Und damit es Ihnen auch perfekt gelingt, fangen wir ganz einfach an.

Vorüberlegungen: Seite in zwei Frames aufteilen

Ehe wir uns an das Hauptbeispiel wagen, fangen wir wieder bescheiden an. Im ersten Beispiel erstellen Sie eine Seite, die in zwei Bereiche aufgeteilt ist. Links soll das Navigationsmenü stehen. Im rechten Bereich, dem Hauptframe, werden die entsprechenden Inhaltsseiten geladen. In diesem Abschnitt geht es um Vorüberlegungen. Vergessen Sie nicht: Frames entstehen zuallererst im Kopf.

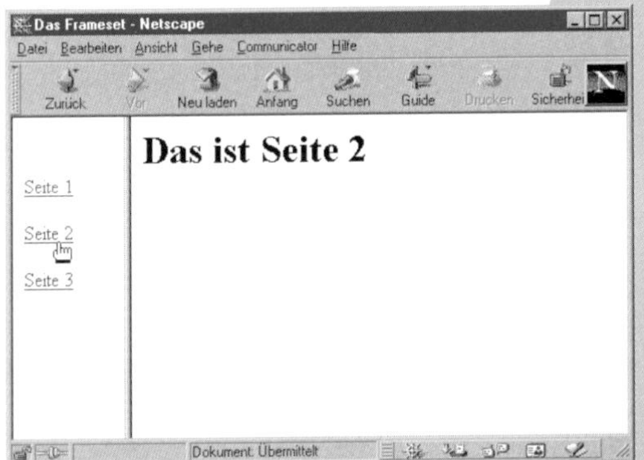

1 Schauen Sie sich die Abbildung an! Für den linken Bereich sehen wir eine Breite von 100 Pixeln vor. Der rechte Bereich soll sich in der Größe der Bildschirmbreite des Betrachters anpassen. Hier werden im Beispiel drei unterschiedliche Seiten angezeigt. Das macht zusammen mit der Linkseite vier HTML-Dokumente.

2 Zu guter Letzt benötigen Sie noch ein Dokument, das die Seiten in Rahmen einteilt. Diese Seite wird als Frameset bezeichnet. So benötigen Sie für das erste Beispiel also insgesamt fünf Seiten. Sie müssen also zuerst die vier „normalen HTML-Dokumente" erstellen. Davon dienen drei zur Anzeige des Inhalts und eines für die Navigation im linken Frame.

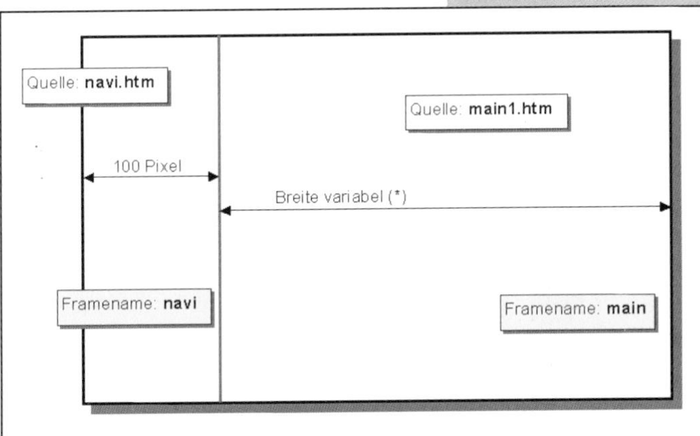

3 Nehmen Sie sich zuerst ein Blatt Papier und etwas Zeit. Zeichnen Sie hier einen Entwurf Ihres „geframten" Fensters auf. Soll das Fenster in Spalten (*columns*) oder Zeilen (*rows*) aufgeteilt werden? Überlegen Sie sich außerdem schon die Breite (und Höhe) Ihrer Rahmen. Vermerken Sie, welches Dokument bzw. welche Dokumente in welchem Fensterteil angezeigt werden soll(en).

4 Wir haben uns für Spalten entschieden. Im linken Bereich handelt es sich im Beispiel um die Seite *navi.htm*. Im Hauptframe (rechter Bereich) soll zuerst das Dokument *main1.htm* angezeigt werden. (Später verweisen Sie dann auf *main2.htm* und *main3.htm*.)

5 Denken Sie sich nun für die Fensterteile Namen aus. Bei „geteilten Fenstern" sollte jeder Frame benannt werden. Die Namen lauten im Beispiel für den Navigations-Frame *navi* und für den Hauptframe *main*. Auch wenn es Ihnen bisher kompliziert erscheint: Diese Vorüberlegungen sind schon die halbe Miete und diese Arbeit kann Ihnen auch kein noch so toller Frame-Editor abnehmen.

Dokumente für das Frameset vorbereiten

Erstellen Sie zuerst die vier „normalen HTML-Dokumente". Mit dem Frameset beschäftigen wir uns später.

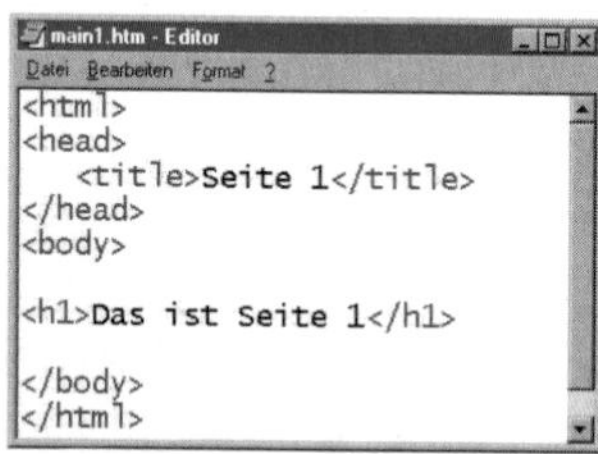

1 Zuerst erstellen Sie die drei Dokumente, die im Hauptframe angezeigt werden sollen. Wir nehmen drei einfach gestrickte HTML-Seiten, die sich lediglich durch die Überschrift und natürlich durch den Dateinamen unterscheiden. Es sind die Seiten *main1.htm*, *main2.htm* und *main3.htm*. Hier als Beispiel der Quelltext von *main1.htm*.

2 Stricken Sie die anderen beiden Seiten (*main2.htm* und *main3.htm*) nach dem gleichen Muster.

3 Erstellen Sie jetzt die Seite für die Links, die Navigationsleiste. Achten Sie dabei darauf, dass dieses Dokument später nur in einem 100 Pixel breiten Rahmen angezeigt wird. Die Linkleiste darf also nicht zu breit ausfallen.

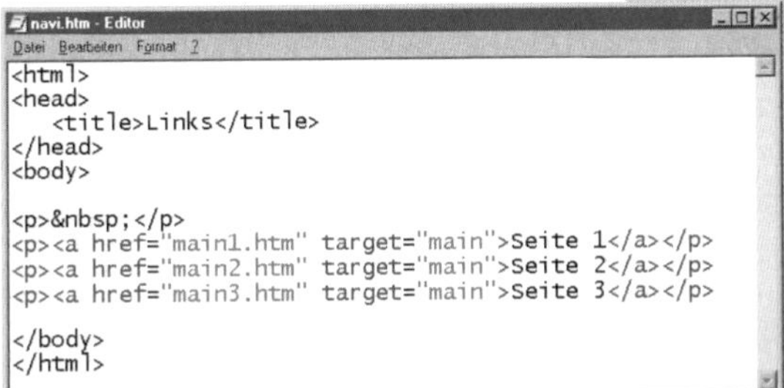

```
<html>
<head>
    <title>Links</title>
</head>
<body>

<p> </p>
<p><a href="main1.htm" target="main">Seite 1</a></p>
<p><a href="main2.htm" target="main">Seite 2</a></p>
<p><a href="main3.htm" target="main">Seite 3</a></p>

</body>
</html>
```

4 Hier zeige ich Ihnen meinen Vorschlag für den Quelltext. Das Dokument besitzt den Dateinamen *navi.htm*. Es handelt sich vom Prinzip her um normale Verweise. Eine Besonderheit müssen Sie jedoch beachten: Geben Sie im Link als Ziel unbedingt *target="main"* an. Damit verweisen Sie auf den Frame, in dem die Hauptseite angezeigt werden soll. (Dieser heißt schließlich *main*). Ich habe Ihnen die drei Links farbig hervorgehoben.

5 Warum ist die Angabe bei *target* so wichtig? Nun, würden Sie den Zielrahmen weglassen, würde das Dokument später dort geladen, wo sich Ihre Linkleiste befindet. Die Seite *main1.htm* erschiene also im schmalen Streifen am linken Rand! Und dieser Effekt sieht nun wirklich nicht sehr schön aus.

6 Deshalb ist es also nötig, die einzelnen Frames zu benennen. Vor allem die Frames, auf die verwiesen wird!

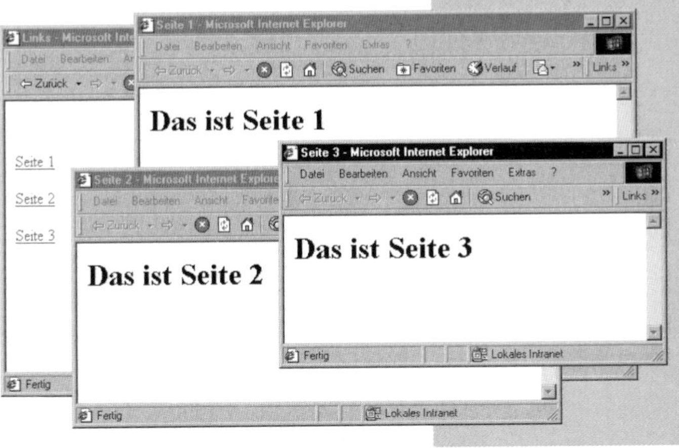

7 Jetzt haben Sie die ersten vier Seiten erstellt. Es sind die Linkseite und die drei im Hauptframe anzuzeigenden Dokumente.

Die Seiten sind da, doch wie bekommen Sie die Dinger nun in Rahmen? Ganz einfach!

Eingerahmt: Seite in Frames aufteilen

Definieren Sie ein so genanntes Frameset, also die Handlungsanweisung für den Browser, das Dokument in Rahmen aufzuteilen.

Info

Frameset ist HTML-Dokument ohne Body!

Ein Frameset ist ein Dokument, das festlegt, wie die Seiten aufgeteilt werden. Das Frameset wird zwar als Erstes geladen, die Seite wird jedoch nicht direkt angezeigt. Ein Frameset ist (normalerweise) ein HTML-Dokument ohne Body. Lassen Sie also auf jeden Fall die Tags <body> und </body> weg.

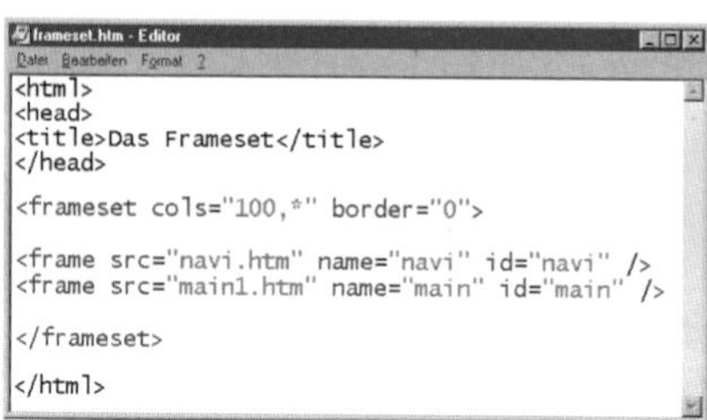

```
<html>
<head>
<title>Das Frameset</title>
</head>

<frameset cols="100,*" border="0">

<frame src="navi.htm" name="navi" id="navi" />
<frame src="main1.htm" name="main" id="main" />

</frameset>

</html>
```

1 Hier zuerst das komplette HTML-Dokument im Überblick. Nicht das Speichern vergessen: Das Beispieldokument soll *frameset.htm* heißen. Sie sehen, das Frameset an sich ist ein erfreulich kurzes Dokument. Die Einzelheiten besprechen wir gleich, Schritt für Schritt.

2 Wie schon erwähnt: Zuerst folgt ein ganz gewöhnlicher HTML-Kopf. Lassen Sie jedoch unbedingt den <body>-Tag weg! Framesets besitzen normalerweise keinen Body!

3 Das Frameset selbst wird durch den *<frameset>*-Tag eingeleitet. Interessant sind jedoch seine Attribute! Zuerst müssen Sie sich entscheiden, ob Sie das Dokument in Zeilen (*rows*) oder lieber in Spalten (*columms*, kurz *cols*) aufteilen möchten. Da wir uns für Spalten entschieden hatten, schreiben wir *cols=*. Als Angabe legen wir jetzt fest, wie viele Spalten es sein sollen und wie groß Sie sind. Schreiben Sie *cols="100,*"*. Der Wert 100 steht für 100 Pixel. Das Sternchen bedeutet, dass sich die Rahmenbreite der Breite des Browserfensters anpasst, also variabel ist.<frameset cols= "100, *" border="0">

4 Jetzt, da Sie die Rahmen definiert haben, müssen Sie diese nur noch mit Inhalt füllen. Es

beginnt beim ersten Rahmen, beim linken, die Reihenfolge lautet: Von links nach rechts (bzw. von oben nach unten). Schreiben Sie

<frame src="navi.htm" name="navi" id="navi" />

5 Damit haben Sie zum einen festgelegt, welches Dokument in diesen Frame geladen wird. Zum anderen erhält der Rahmen seinen Namen. Wir haben zusätzlich *id* eingefügt, da in XHTML neuerdings *name* durch *id* ersetzt wird. Schreiben Sie aus Kompatibilitätsgründen beide Attribute, vergeben Sie unbedingt den gleichen Wert. Weiterhin gilt: Der <frame />-Tag muss intern abgeschlossen werden.

6 Auch dem Hauptrahmen weisen Sie eine Datei zu. Hier ist die Namensgebung besonders wichtig!

<frame src="main1.htm" name="main" id="main" />

7 Vergessen Sie nicht, das Frameset mit dem Tag </frameset> wieder abzuschließen. Damit ist die Rahmendefinition fertig.

</frameset>

Und, was sagen Sie jetzt? War doch kein bisschen schwer oder kompliziert!

Info

An Benutzer älterer Browser denken

Außerdem war es bisher gute Praxis, auch an Besitzer älterer, nicht framefähiger Browser zu denken. Nutzen Sie dafür innerhalb des Framesets die Tags <noframes></noframes>. Alles, was zwischen diesen Tags erscheint, sehen nur diejenigen, deren Browser keine Frames anzeigen kann. Wenn Sie wollen, können Sie unter den letzten <frame />-Tag (und über </frameset>) noch folgende Zeilen einfügen.

```
<noframes>
Leider verf&uuml;gt Ihr Browser nicht &uml;ber die F&auml;higkeit, Frames anzuzeigen.
</noframes>
```

Frames die Zweite: Zeilen statt Spalten

Im nächsten Beispiel teilen Sie das Dokument statt in Spalten in Zeilen (*rows*) auf. Als zweite Schwierigkeit bauen wir die Linkleiste in den Fuß des Browserfensters ein. Dieser Navigationsrahmen soll 60 Pixel hoch sein.

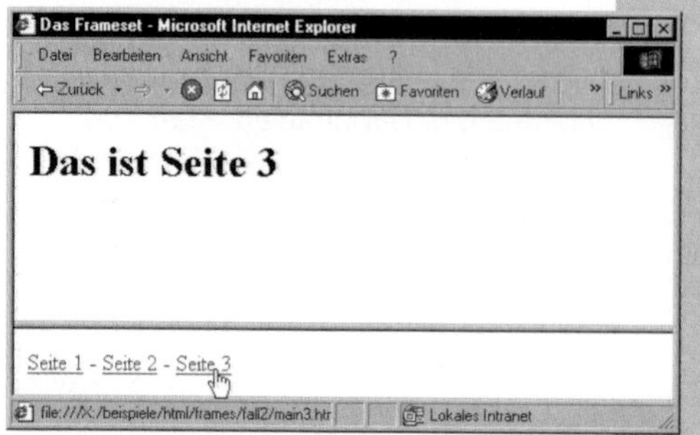

1 So soll das Endergebnis aussehen. Aber keine Bange: Was hier möglicherweise kompliziert erscheint, ist ganz einfach: Sie müssen lediglich eine Kleinigkeit im Frameset ändern. Und natürlich im Dokument *navi.htm*.

navi.htm - Editor

```
<html>
<head>
   <title>Links</title>
</head>
<body>

<p>
<a href="main1.htm" target="main">Seite 1</a> -
<a href="main2.htm" target="main">Seite 2</a> -
<a href="main3.htm" target="main">Seite 3</a>
</p>

</body>
</html>
```

2 Hier zuerst der angepasste Quelltext das Dokuments *navi.htm*. Sie müssen lediglich die überschüssigen Absatzumbrüche entfernen, damit die Links nebeneinander stehen.

frameset.htm - Editor

```
<html>
<head>
   <title>Das Frameset</title>
</head>

<frameset rows="*,60" border="0">

<frame src="main1.htm" name="main" id="main" />
<frame src="navi.htm" name="navi" id="navi" />

</frameset>

</html>
```

3 Schauen Sie sich jetzt einmal den Quelltext des geänderten Framesets an.

4 Die einzige Änderung: Statt *cols* nehmen Sie das Attribut *rows*. Und da die einzelnen Fenster von links nach rechts bzw. oben nach unten angesprochen werden, schreiben Sie:

```
rows=“*,60"
```

5 Lesen Sie mit den folgenden beiden Zeilen zuerst das obere, dann das untere Dokument ein.

```
<frame src=“main1.htm“ name=“main“
id=“main“ />
<frame src=“navi.htm“ name=“navi“ id=“navi“ />
```

Anzeige der Frames individuell steuern

Das war noch nicht alles! Selbstverständlich können Sie auch die Anzeige der Frames durch Attribute ganz individuell steuern. Unterdrücken Sie die Rollbalken. Verhindern Sie, dass der Surfer die Größe der Frames verändern kann. Richten Sie den Inhalt exakt am oberen und linken Rahmenrand aus. Ich verrate Ihnen die wichtigsten Attribute und ihre Werte. Dieses Wissen benötigen Sie für unser „Highlight-Projekt", bei dem wir ein Logo fest in einen Frame einbinden.

Rahmen unterdrücken

Wie Sie Rahmen unterdrücken, hatte ich Ihnen schon gezeigt. Schreiben Sie das Attribut *border="0"* in den Tag <frameset>. Sie setzen kein Attribut in den <frameset>-Tag? Dann zeigen alle Browser standardmäßig dünne Rahmenlinien an.

1 Diese „Border-Methode" funktioniert auch mit neueren Browsern anstandslos, beispielsweise mit dem Internet Explorer 4, 5 oder dem Netscape Browser 4. Der Internet Explorer 3 zeigt trotzdem noch eine dicke „Trennungslinie" zwischen den Rahmen.

2 Wenn Sie dagegen etwas unternehmen wollen, ergänzen Sie deshalb einfach *frameborder="0"* und aus „historischen Gründen" auch das nicht zum offiziellen Standard zählende Attribut *framespacing="0"*. Schreiben Sie beispielsweise:

```
<frameset cols="100,*" border="0" frameborder="0" framespacing="0">
```

Nur nebenbei: Der Netscape Navigator 2 war zwar der erste Browser, der Frames anzeigen konnte. Allerdings lässt sich dieses „Betrachtungsprogramm" generell nicht zum „Abschalten" der Rahmenlinien überreden. Doch wer surft noch mit so einem alten Teil?

Rollbalken anzeigen und unterdrücken

Vielleicht haben Sie es schon bemerkt? Wenn der Inhalt nicht in den Frame passt, werden automatisch Rollbalken (*scrollbars*) eingeblendet.

Das ist auch sinnvoll und gut so, schließlich sollen verdeckte Inhalte vor allem bei geringer Fenstergröße auch „hervorgezaubert" werden.

1 Sie wollen von vornherein Rollbalken anzeigen? Oder diese eher unterdrücken? Wählen Sie die Attribute *scrolling="no"* bzw. *scrolling="yes"*.

2 Wenn Sie keine Rollbalken wünschen, schreiben Sie also:

```
<frame src="navi.htm" name="navi" id=
   "navi" scrolling="no" />
```

3 Die Voreinstellung lautet übrigens *scrolling="auto"*, die Rollbalken erscheinen also nur bei Bedarf.

Info

Vorsicht beim Unterdrücken der Rollbalken!

Sie entscheiden sich für *scrolling="no"*? Dann achten Sie auf jeden Fall darauf, dass Ihre Seite auch bei der geringsten Bildschirmauflösung von 640 x 480 Pixeln noch funktioniert. Denn was nützt die schönste Linkleiste, wenn Surfer bestimmte Links oder Informationen nicht mehr sehen können? Die Einstellung *scrolling="no"* ist beispielsweise für ein Logo ideal, das unverändert an einer Stelle platziert werden soll. Hier würden Rollbalken den optischen Eindruck nur stören.

Rahmengröße kann nicht verändert werden

Die Kante zwischen zwei Frames ist sichtbar? Dann kann der Surfer die Größe der Frames nach Lust und Laune verändern.

Das gelingt, indem er mit der Maus über die Rahmenkante fährt und die Kante bei gedrückter linker Maustaste an die Wunschposition verfrachtet.

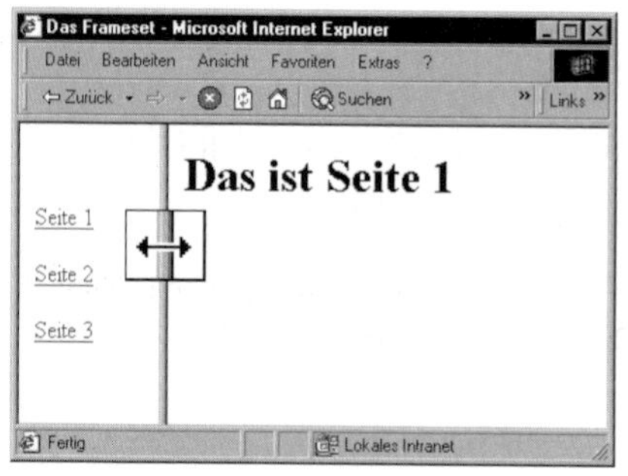

1 Sie wollen verhindern, dass der Surfer die Größe des Frames mit der Maus verändert? Im Klartext: „Resize" ist nicht erlaubt?

2 Dann schreiben Sie einfach das Attribut *noresize="noresize"* in den entsprechenden <frame>-Tag. *noresize* kommt von „no resize", keine Größenveränderung. Hier ein Beispiel:

```
<frame src="navi.htm" name="navi" id="navi"
scrolling="no" noresize="noresize" />
```

3 Bei unsichtbaren Fensterkanten ist dieses Attribut jedoch nicht nötig. Hier kann man sowieso die Größe der Rahmen nicht verändern.

Abstand zwischen Rahmenrand und Rahmeninhalt

Normalerweise beginnt der Inhalt eines Rahmens nie exakt an der oberen oder rechten Rahmenkante. Je nach Browsertyp bleibt links, rechts und oben ein mehr oder weniger großer Rand, ein „Luftspalt". Gerade für exaktes Layout ist das jedoch nicht wünschenswert.

1 Sie möchten die Ränder um den Frameinhalt genau definieren? Kein Problem! Setzen Sie einfach die Attribute *marginwidth* und *marginheight* in den jeweiligen <frame />-Tag.

2 Die Angaben stehen in Pixeln. Die Werte gelten jeweils paarweise:

- *marginwidth* kontrolliert den linken und rechten Rand,
- *marginheight* dagegen den oberen und unteren.

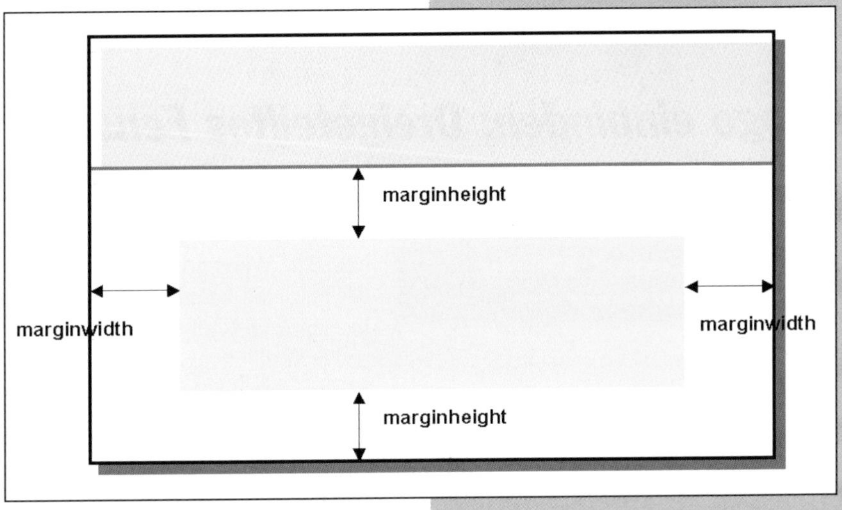

3 Im folgenden Beispiel beginnt der Frameinhalt (beispielsweise eine Grafik) exakt 12 Pixel von der oberen und unteren Rahmenkante.

```
<frame src="bild.gif" name="navi" id="navi"
scrolling="no" noresize="noresize"
marginheight="12" />
```

4 Viel interessanter ist jedoch, wie Sie diesen Rahmen komplett unterdrücken. Schreiben Sie einfach *marginwidth="0"* und *marginheight="0"*. Die Grafik im nächsten Beispiel würde genau am oberen und linken Rahmenrand beginnen.

```
<frame src="logo.gif" name="logo" id="logo"
scrolling="no" marginwidth="0"
marginheight="0" />
```

5 Wo Licht ist, ist auch Schatten. Der Netscape-Navigator 4.x fügt stets ein „Anstandspixel" ein. Das können Sie nicht ändern.

Rahmen im Internet Explorer und in Netscape

Der Internet Explorer 5 lässt oben 15 Pixel „Luft", links dagegen 9 bis 10 Pixel. Der Netscape-Browser 4.x begnügt sich mit oben und links jeweils 8 Pixeln Abstand.

Das Logo einbinden: Dreigeteiltes Fenster

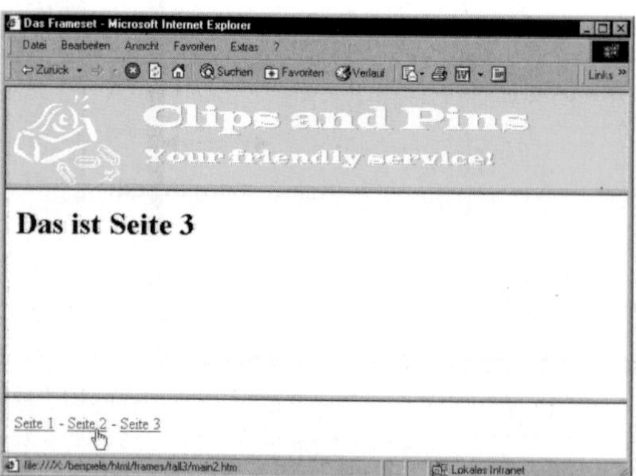

Kommen wir zum Hauptbeispiel des Kapitels, dem dreigeteilten Fenster mit Logo. Während sich der Inhalt des mittleren Rahmens ändert, bleibt die Grafik stets an der gleichen Stelle. Zur Verdeutlichung habe ich ausnahmsweise die Rahmenlinien eingeblendet.

Sie haben richtig gelesen! Auch eine Grafik kann also in einen Frame eingebunden werden!

1 Die Beispielgrafik heißt *logo.gif*. Die Länge beträgt 1.030 Pixel, die Höhe dagegen 120 Pixel. Gern kann die Grafik auch länger sein, damit auch Benutzer mit sehr hoher Bildschirmauflösung rechts keinen Weißraum sehen.

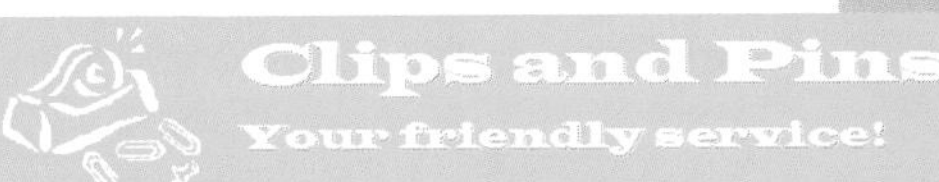

2 Denken Sie aber trotzdem auch an Surfer mit kleinen Bildschirmen. Der wichtige Inhalt des Logos sollte deshalb die Länge von 600 Pixeln nicht überschreiten. Etliche Surfer besitzen noch diese Bildschirmauflösung.

frameset.htm - Editor

Datei Bearbeiten Format ?

```
<html>
<head>
   <title>Das Frameset</title>
</head>

<frameset rows="100,*,50" border="0">

<frame src="logo.gif" name="titel" id="titel" noresize="noresize"
scrolling="no" marginwidth="0" marginheight="0" />
<frame src="main1.htm" name="main" id="main" />
<frame src="navi.htm" name="navi" id="navi" scrolling="no" />

</frameset>

</html>
```

3 Bis auf das Logo können Sie die alten Dokumente des vorigen Beispiels weiterverwerten. Und hier finden Sie das komplette Frameset:

4 Zuerst teilen Sie das Browserfenster in drei Rahmen auf, die untereinander liegen. Dafür benötigen Sie die *rows*. Der obere Rahmen soll 100 Pixel hoch, der untere 50 Pixel hoch sein. Der mittlere Frame kann in der Größe variiert werden. Schalten Sie außerdem gleich mit *border="0"* die Rahmenlinien ab. Schreiben Sie einfach

```
<frameset rows="100,*,50" border="0">
```

5 Jetzt legen Sie von oben nach unten die Dateien fest, die im jeweiligen Rahmen erscheinen sollen. Beginnen Sie ganz oben mit der Grafik. Weil die Grafik größer als der Rahmen ist, sollten Sie zuerst die Rollbalken wegblenden (*scrolling="no"*). Positionieren Sie das Grafikobjekt mit *marginwidth="0"* und *mar* *ginheight="0"* exakt an der oberen und linken Bildschirmkante. Vorsichtshalber können Sie noch das „Resize" unterbinden. Schreiben Sie also:

```
<frame src="logo.gif" name="titel" id="titel"
    noresize="noresize" scrolling="no"
    marginwidth="0" marginheight="0" />
```

6 Binden Sie jetzt die anderen beiden Dateien ein. Bei der Linkleiste am Fensterfuß können Sie ebenfalls den Rollbalken unterbinden. Nur im „Hauptframe" in der Mitte sollten Sie dem Surfer das Scrollen ermöglichen.

```
<frame src="main1.htm" name="main"
    id="main" />
<frame src="navi.htm" name="navi" id="navi"
    scrolling="no" />
```

Mit wenig Aufwand haben Sie so einen netten Effekt erzielt und sind dem Ziel „exaktes Layout" einen Schritt näher gekommen. Und auch das „Anstandspixel" im Netscape-Browser macht sich im Endeffekt nicht so drastisch bemerkbar.

Achtung Falle: Frames und Hyperlinks

Da plaudern wir die ganze Zeit so angeregt über Frames und hätten beinahe das Wichtigste vergessen:

Die Verweise aus dem Frameset heraus. Das Verweisen innerhalb von Framesets beherrschen Sie inzwischen perfekt: Sie benötigen das Attribut *target="Framename"*.

Und die externen Links? Richtig, im Prinzip kennen Sie auch hier die Vorgehensweise. Doch in Frames ist mal wieder alles anders: Angenommen, Sie verweisen blauäugig auf eine externe Site. Sie schreiben beispielsweise:

```
<a href="http://www.beispielfirma.com">Beispielfirma</a>!
```

Was passiert? Diese Seite erscheint in dem Rahmen, in dem sich der Hyperlink befindet. Zugegeben, Sie könnten die Anzeige mit dem Attribut *target="Framename"* in den gewünschten Rahmen umleiten. Schreiben Sie, um diese Seite in Ihr Frameset einzugliedern:

```
<a href="http://www.beispielfirma.com" target="main">Beispielfirma</a>!
```

Und schon wird auch diese Seite in Ihr Frameset eingegliedert.

Info

Vorsicht, keine fremden Seiten einrahmen!

Seien Sie vorsichtig beim „Framen" fremder Seiten. Dadurch, dass Sie fremde Inhalte in Ihrem eigenen Frameset anzeigen, erwecken Sie den Anschein, als handele es sich um Ihre eigenen Seiten. Das ist rechtlich bedenklich und kann - falls es entdeckt wird - zu teuren Abmahnungen führen. Wenn Sie fremde Seiten framen wollen, sollten Sie sich stets die Einwilligung der Seitenbetreiber einholen.

Doch zurück zu unserem Problem. Wie setzen Sie zuverlässig externe Hyperlinks aus geframten Seiten heraus? Da muss es doch eine andere Lösung geben. Und die gibt es auch!

1 Verwenden Sie das Attribut *target="_top"*. Schreiben Sie beispielsweise

```
<a href="http://www.beispielfirma.com"
  target="_top">Beispielfirma</a>!
```

2 Dieser Verweis führt zuverlässig aus dem Frameset heraus. Allerdings verlässt der Surfer damit auch Ihre Seiten. In seinem Browserfenster wird nun komplett die neue Seite angezeigt.

```
<a href="http://www.beispielfirma.com"
  target="_blank">Beispielfirma</a>!
```

3 Wie wäre es mit einem Kompromiss? Schreiben Sie *target="_blank"*. Dadurch erscheint die Seite komplett in einem eigenen Fenster! Und Ihr Frameset bleibt im Hintergrund weiterhin geöffnet!

Und schon können Sie dank des Attributs *target* ganz wunderbare Links erstellen, die zuverlässig aus dem Frameset herausführen.

Mehr Dynamik: Counter, Lauftext, Gästebuch

Wie wäre es mit etwas Pepp für Ihre Homepage? Binden Sie Besucherzähler, Gästebuch und Lauftext in Ihre Seiten ein. Wagen wir außerdem einen kleinen Ausflug ins JavaScript-Lager. Ich zeige Ihnen, wie Sie den raffinierten Mouseover-Effekt erreichen und ein Pulldown-Menü programmieren.

Besucherzähler und Gästebuch

Sie möchten Ihre Seiten mit Gästebuch und Besucherzähler aufpeppen? Dabei handelt es sich um so genannte CGI-Programme, die meist in der Sprache Perl verfasst wurden.

1 Dürfen Sie bei Ihrem Dienstleister CGIs installieren?

2 Viele Serviceprovider bieten Ihnen inzwischen ebenfalls Gästebuch, Counter usw. als vorgefertigte „Basis-CGIs". Erkundigen Sie sich, ob Ihnen Ihr Anbieter hier entgegenkommt.

3 Wie Sie genau vorgehen müssen, kann ich Ihnen an dieser Stelle nicht verraten, da die Vorgehensweise von Dienstleister zu Dienstleister abweicht. Folgen Sie der häufig ausführlichen Installationsanweisung. Bei AOL finden Sie Tipps zum Installieren von Counter und Gästebuch beispielsweise auf http:/members.aol.com/techpro1/.

4 Sie sind bei Ihrem Dienstleister nicht fündig geworden? Dann surfen Sie einfach mal

ins Web! Besucherzähler gibt's beispielsweise bei www.digits.com oder www.counter.com. Ein Gästebuch bekommen Sie dagegen bei http://free-service. de/

5 Mein Tipp: Da sich Internetadressen beinahe über Nacht ändern, befragen Sie einfach eine Suchmaschine. Surfen Sie beispielsweise zu www.altavista.com und geben Sie „Free counter" bzw. „Free guest book" ein. Das Ergebnis wird Sie überwältigen!

Info

Seitenstatistik

Bei manchen Dienstleistern wie Strato oder Puretec ist bei teureren Paketen eine regelrechte Seitenstatistik im Preis inbegriffen. Ihnen werden Logfiles zur Verfügung gestellt, die Sie sich herunterladen und mit einem speziellen Programm auswerten können. Meine Meinung: Diese Dienstleistung ist viel aussagekräftiger und genauer als irgendwelche kostenlosen Zähler. Sie erhalten wesentlich mehr Informationen zu Ihren Besuchern.

Alles rollt: So erstellen Sie ein Laufband

Auf Betreiben Microsofts wurde der Tag <marquee> in HTML eingeführt. Damit können Sie Laufbänder erzeugen.

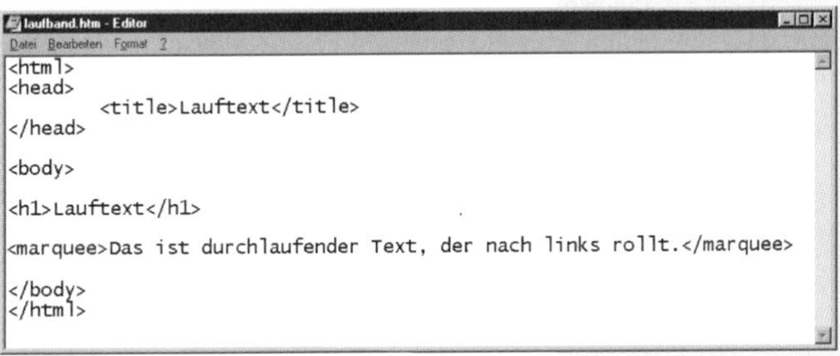

```
<html>
<head>
        <title>Lauftext</title>
</head>

<body>

<h1>Lauftext</h1>

<marquee>Das ist durchlaufender Text, der nach links rollt.</marquee>

</body>
</html>
```

1 Sie wollen ein Laufband erzeugen? Nichts leichter als das! Schreiben Sie beispielsweise

<marquee>Das ist durchlaufender Text, der nach links rollt.</marquee>

2 Sie können das Laufband nach allen Regeln der Kunst steuern. Hier die wichtigsten Attribute von <marquee>:

Tag	Attribut	Werte	Erklärung	Beispiel
<marquee>			Lauftext.	<marquee>Alles rollt </marquee>
	loop	Ziffer	Anzahl der Wiederholungen, Voreinstellung ist unendlich.	<marquee loop="5">rollt 5x</marquee>
	behavior		Bewegungsverhalten.	
		scroll	Voreinstellung, einfaches Durchlaufen.	behavior="scroll"
		alternate	Hin und her.	behavior="alternate"
		slide	Reinrollen, stehen bleiben.	behavior="slide"
	direction		Richtung.	
		left	Voreinstellung, von links.	direction="left"
		right	Von rechts.	direction="right"
		down	Nach unten.	direction="down"
		up	Nach oben.	direction="up"
	bgcolor	hex. Wert o. Farbname	Hintergrundfarbe des Laufbands.	bgcolor="yellow"
	height	Pixel, Prozent	Höhe des Laufbands.	height="100"
	width	Pixel, Prozent	Breite des Laufbands.	width="20%"
	scroll-amount	Ziffer	Gibt an, um wie viele Pixel Objekt bei jedem Animationsschritt bewegt wird.	scrollamount="25"
	scroll-delay	in ms	Dauer der Pause zwischen zwei Animationsschritten in Millisekunden.	scrolldelay="1000"

Info

Laufband wird nur im Internet Explorer angezeigt

Beachten Sie, dass <marquee></marquee> bisher nur vom Internet Explorer interpretiert wird. Zwar gehört dieses Tag-Paar schon seit einer Weile zum offiziellen HTML/(X)HTML-Standard, wird aber vom Netscape-Browser weiterhin nicht interpretiert. Das hat etwas mit dem alten Browser-Krieg zwischen Netscape und Microsoft zu tun, den Microsoft mit dem Internet Explorer inzwischen haushoch gewonnen hat. Dafür beherrscht der Internet Explorer den Tag <blink></blink> nicht, der Text blinken lässt. Aber <blink></blink> gehört nicht zum offiziellen HTML/(X)HTML-Standard.

Aber wie gesagt: Geben Sie sich nicht zu viel Mühe, da Ihr Lauftext von vielen Surfern nicht „genossen" werden kann.

OnMouseover-Effekt für Grafik

Den Effekt kennen Sie unter Garantie: Sie ziehen die Maus über eine Grafik und schon wird diese gegen eine andere ausgetauscht. Edel! Dahinter verbirgt sich das Schlüsselwort *onMouseover*. Und wenn Sie die Maus weiterziehen? Dann muss die „Zweitgrafik" wieder auf die Reservebank. Dies gelingt durch die *onMouseout*-Anweisung.

Info

JavaScript

Diese Schlüsselwörter stammen aus der Sprache JavaScript. Dahinter verbirgt sich eine Programmiersprache, mit der Sie Ihre Webseiten interaktiv gestalten können. Um mehr über JavaScript zu erfahren, empfehle ich das DATA BECKER-Buch Start-Up JavaScript, ISBN 3-8158-1496-0. Auch von mir gibt es eine ausführliche Einführung in JavaScript, und zwar im PC-Seminar HTML, XML und JavaScript, ISBN 3-8158-2055-3.

Keine Angst, für dieses Beispiel müssen Sie kein JavaScript lernen. Ich zeige es Ihnen auch so.

1 Für jeden OnMouseover-Link benötigen Sie je ein Grafikpärchen. Beide Dateien müssen exakt die gleiche Größe besitzen. Erstellen Sie diese Grafiken in Ihrer Bildbearbeitung. Fügen Sie die gewünschten Änderungen in die zweite Grafik ein.

2 Im Beispiel haben Sie es mit zwei Grafikpärchen zu tun. Das erste Paar heißt *data1.gif* und *data2.gif*. Das zweite Pärchen *service1.gif* und *service2.gif*. Die jeweils zweite Grafik ist die entsprechende „Highlight-Grafik".

3 Arbeiten Sie jetzt einfach mit einem so genannten Inline-Skript. Sie erstellen zuerst einen Grafik-Hyperlink. Mit der Anweisung *OnMouseover* wird die zweite Grafik aufgerufen. *OnMouseout* sorgt dafür, dass wieder Schaltfläche 1 eingewechselt wird. Hier das komplette Skript für Sie zum Abschreiben, eingebettet in ein HTML-Dokument.

mouseover.htm - Editor

```
<html>
<head>
  <title>DataBecker</title>
</head>

<body>
<h1>Dynamische Schaltfl&auml;chen</h1>

<p>
<a href="http://www.databecker.de" onMouseover="document.data.src='data2.gif'";
onMouseout="document.data.src='data1.gif'">
<img src="data1.gif" width="101" height="25" border="0" name="data" id="data" />
</a>
</p>

<p>
<a href="http://www.jchanke.de" onMouseover="document.service.src='service2.gif'";
onMouseout="document.service.src='service1.gif'">
<img src="service1.gif" width="101" height="25" border="0" name="service" id="service" />
</a>
</p>

</body>
</html>
```

4 Was müssen Sie beachten? Fangen wir bei der Grafik selbst an, beim <img>-Tag. Hier ist vor allem der Name wichtig (im Beispiel: *name="data"*, für neuere Browser jedoch das (X)HTML-konforme *id="data"*)! Aber auch Breite und Höhe sollten Sie an dieser Stelle exakt angeben! Weiterhin wichtig ist das Attribut *border="0"*. Damit erreichen Sie, dass kein störender Rahmen um die Grafik gelegt wird. Hier das Beispiel für die erste Grafik.

```
<img src="data1.gif" width="101" height="25"
    border="0" name="data" id="data" />
```

5 Und was passiert im Hyperlink selbst? Schließlich dient die Grafik als Verweis! Im Hyperlink definieren Sie die Regel zum Einfügen der Highlight-Grafik. Dafür nutzen Sie die *onMouseover*-Anweisung. Sie beziehen sich dabei auf den Namen der Grafik. Sie schreiben

```
onMouseover="document.data.src='data2.gif'";
```

6 Dadurch wird die neue Grafik (*data2.gif*) bei „MouseOver" anstelle der alten eingefügt. Nicht vergessen: Hinter data2.gif setzen Sie erst einen Gedankenstrich, dann die ausführenden Gänsefüßchen. Diese Codezeile muss außerdem durch ein Semikolon abgeschlossen werden.

7 Jetzt folgt noch die Anweisung *onMouseout*. Sie schreiben:

```
onMouseout="document.data.src='data1.gif'"
```

8 So sorgen Sie dafür, dass bei „Mausverlust" die alte Grafik wieder an die Stelle der Highlight-Grafik tritt. Die Absätze (<p></p>) dienen nur der besseren Ausrichtung der Grafiken. Auch hier ist es wichtig, nach *data1.gif* Gedankenstrich und ausführende Gänsefüßchen zu setzen.

Beachten Sie, dass Sie beim Abschreiben wirklich alle Anführungszeichen bzw. Gedankenstriche so setzen wie angegeben. Halten Sie die Dateigröße beider Grafiken gering, damit das Auswechseln schnell geht. Sie können diese Absätze kopieren und auf diese Art weitere Grafikpärchen einfügen.

In speziellen JavaScript-Büchern lernen Sie ausführlichere und wesentlich erweiterte Versionen für diesen MouseOver-Effekt kennen.

Bitte auswählen: Ein Pulldown-Menü erzeugen

Wie wäre es mit einem schicken Pulldown-Menü? Binden Sie es in Ihre Seite ein. Auch dahinter verbirgt sich ein kurzes Skript. Probieren Sie es einfach mal am Beispiel aus!

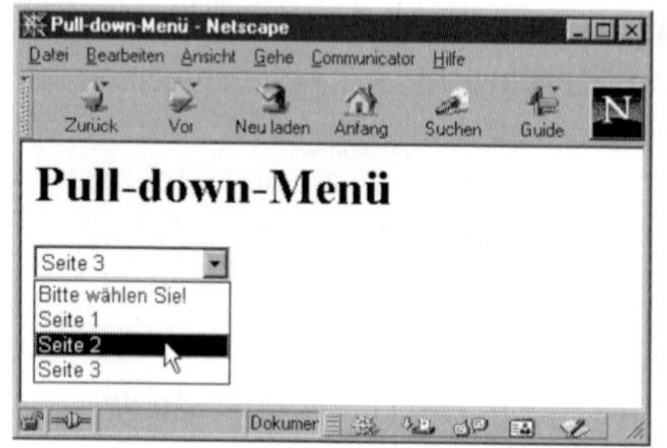

1 Erstellen Sie zuerst drei Seiten, die Sie *seite1.htm*, *seite2.htm* und *seite3.htm* nennen. Hier sehen Sie *seite2.htm* im Überblick.

2 Und nun zum Quelltext der Seite, die das Pulldown-Menü enthält. Das Menü selbst ist ein <select></select>-Feld.

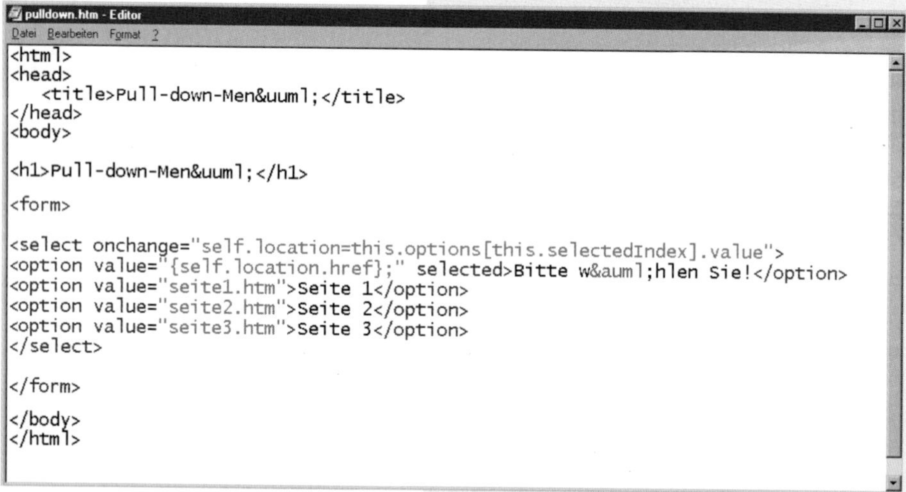

pulldown.htm - Editor

```
<html>
<head>
   <title>Pull-down-Men&uuml;</title>
</head>
<body>

<h1>Pull-down-Men&uuml;</h1>

<form>

<select onchange="self.location=this.options[this.selectedIndex].value">
<option value="{self.location.href};" selected>Bitte w&auml;hlen Sie!</option>
<option value="seite1.htm">Seite 1</option>
<option value="seite2.htm">Seite 2</option>
<option value="seite3.htm">Seite 3</option>
</select>

</form>

</body>
</html>
```

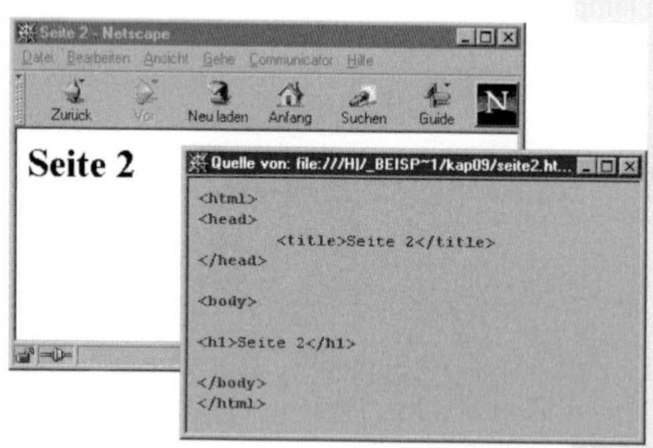

3 Die Anweisung *onchange* sorgt dafür, dass bei Auswahl eines ganz bestimmten Eintrags die betreffende Seite aufgerufen wird. Dafür sorgt die Zeile.

onchange="self.location=this.options[this.selectedIndex].value"

4 Die einzelnen <option></option>-Felder dienen zum Aufruf der jeweiligen Seite. Dazu dient der hinter *value* eingetragene Wert, beispielsweise *seite1.htm*. Das erste Feld ist jedoch ein Dummy-

Feld. Es dient lediglich dazu, den Text *Bitte wählen!* anzuzeigen.

```
<option value="{self.location.href};" selected>
Bitte w&auml;hlen Sie!</option>
<option value="seite1.htm">Seite 1</option>
<option value="seite2.htm">Seite 2</option>
<option value="seite3.htm">Seite 3</option>
```

5 Passen Sie das Skript an Ihre Bedürfnisse an. Fügen Sie weitere <option></option>-Felder ein.

Beachten Sie: Dieses Skript arbeitet nicht mit Frames zusammen.

Hallo Webmaster: Die Site publizieren

Jetzt wird's richtig interessant! Laden Sie Ihre Seite endlich auf den Server! Melden Sie sich bei den Suchmaschinen an. Vorher verrate ich Ihnen kurz, was sich hinter den Meta-Tags verbirgt. Auch wenn Sie noch keinen Speicherplatz für Ihre Homepage haben, sollten Sie weiterlesen. Ich zeige Ihnen die besten Stellen im Netz, von kostenlos bis ganz feudal!

Sind Sie schon online? Ins Netz per DFÜ

Hoppla, Sie haben überhaupt noch keinen Internetanschluss? Dann zeige ich Ihnen, wie Sie am Beispiel eines Internet-by-Call-Anbieters blitzschnell die Verbindung einrichten. Dabei gehe ich davon aus, dass Sie schon ein Modem bzw. ein ISDN-Gerät installiert haben! Die Schrittfolge gilt für Windows Millennium und Windows 98.

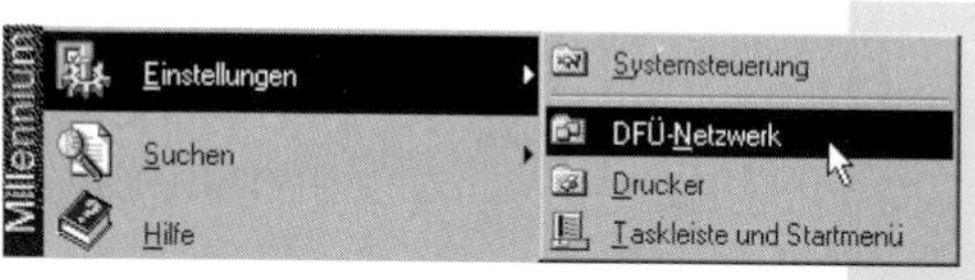

1 Wählen Sie in Windows Me *Start/ Einstellungen/DFÜ-Netzwerk*. In Windows 98 starten Sie jedoch den *Arbeitsplatz* und doppelklicken auf den Ordner *DFÜ-Netzwerk*.

2 Doppelklicken Sie hier auf den Eintrag *Neue Verbindung erstellen*.

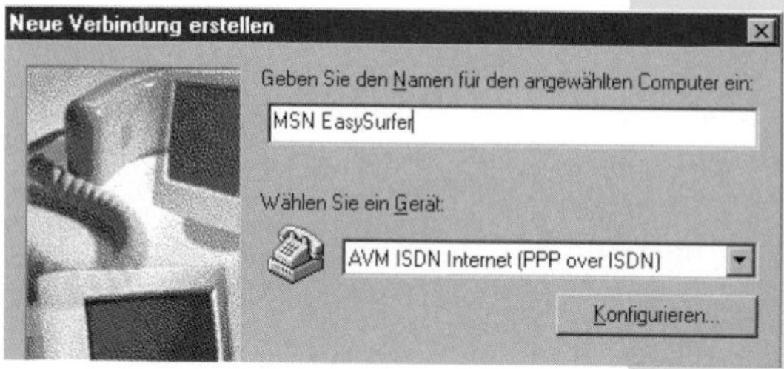

3 Im nächsten Schritt müssen Sie den Namen der Verbindung eintragen. Suchen Sie sich einen Namen aus, der Ihnen am besten zusagt. Schreiben Sie beispielsweise MSN EasySurfer, (Mobilcom, T-Online ...). Bei *Wählen Sie ein Gerät* wird in der Regel automatisch Ihr Modem (bzw. die „als Modem verkleidete" ISDN-Karte)

eingestellt. Das Modem bzw. ISDN-Gerät hatten Sie doch schon installiert, oder? Klicken Sie auf *Weiter*.

4 Im nächsten Schritt müssen Sie die entsprechende Telefonnummer eintragen. Bei unserem Hauptbeispiel MSN EasySurfer tippen Sie „010880192658". Für T-Online müssen Sie jedoch „0191011" eintragen. Mobilcom wünscht sich eine „010190-1929" usw. In den meisten Fällen können Sie die Ortskennzahl weglassen. Es handelt sich häufig um bundesweite Einwahlnummern. Klicken Sie wieder auf *Weiter*.

5 Klicken Sie auf *Fertig stellen*. Die Verbindung steht.

6 Sie haben nun einen Internetzugang erstellt. Das entsprechende Symbol weist Sie darauf hin. Wenn Sie mögen, können Sie auf diese Art und Weise auch einen weiteren Zugang einrichten.

7 Starten Sie die Verbindung durch Doppelklick. Bei MSN lauten Benutzername und Passwort jeweils *msn*.

Sie können nun jederzeit die Eigenschaften Ihrer Internetverbindung kontrollieren. Klicken Sie einfach mit der rechten Maustaste auf den Eintrag. Wählen Sie den Befehl *Eigenschaften*. Bei Windows 98 müssen Sie noch ins Register *Servertypen* gehen. Nehmen Sie hier alle Häkchen weg bis auf *TCP/IP*. Klicken Sie auf *OK*.

Für Windows Me gilt: Im Register *Allgemein* können Sie beispielsweise die Rufnummer einsehen und verändern. Benutzername und Kennwort überprüfen Sie im Register *Sicherheit*. Im Register *Netzwerk* können S

ie weitergehende Netzwerkeinstellungen treffen. Ich empfehle Ihnen beispielsweise, das Häkchen bei *Softwarekomprimierung aktivieren* zu entfernen.

Wo bekommen Sie Ihre Homepage?

Nanu, Sie wissen noch gar nicht, wo Sie Ihre Homepage veröffentlichen sollen? Hier habe ich mehrere gute Nachrichten für Sie:

1 Jeder, der bei einem großen Provider oder Onlinedienst Mitglied ist, bekommt in der Regel kostenlosen Webspace. Bei AOL lautet Ihre Webadresse z. B. http://members.aol.com/Benutzername, bei T-Online dagegen http://home.t-online.de/home/Benutzername.

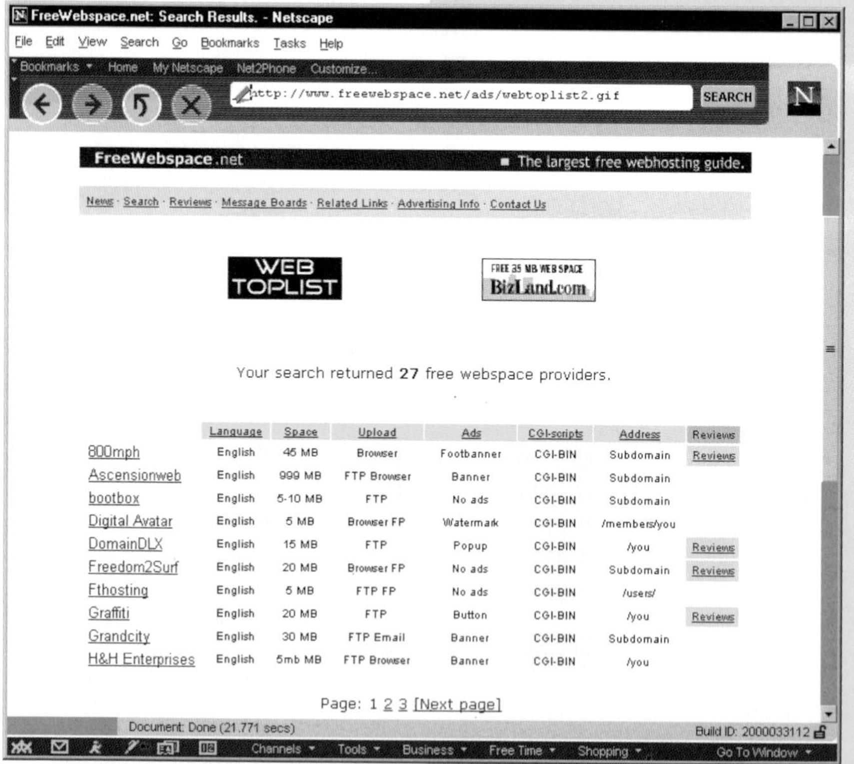

2 Ihr Provider bietet Ihnen keinen zusätzlichen Webspace, beispielsweise, weil es ein günstiger Internet-by-Call-Anbieter ist? Auch das ist nicht so schlimm! Es gibt im Web inzwischen unüberschaubar viele Dienstleister, die Ihnen eine kostenlose Webpräsenz ermöglichen, beispielsweise www.freepage.de. Aber ehe ich Ihnen all die anderen aufzähle, surfen Sie lieber zur Suchmaschine für freien Webspace, zu FreeWebspace! Sie finden diese erstaunliche Seite unter www.freewebspace.net!

3 Unter www.freewebspace.net/search/advanced.shtml finden Sie ein erweitertes Suchformular, bei dem Sie Ihre Suche nach verschiedenen Kriterien eingrenzen können. Suchen Sie nach Dienstleistern, die Ihnen sogar kostenlos CGI, E-Mail-Konto, sicheren Zugriff oder Subdomains anbieten! Tipp: Begrenzen Sie die gewünschte Sprache nicht auf Deutsch, denn sonst erhalten Sie nur wenige Treffer!

4 Sie wollen keine dieser „Bandwurmadressen"? Dann sichern Sie sich eine eigene Domäne. Im Klartext: Ihre Seite folgt dem Muster *www.MeinName.de* oder *www.MeinName.com*. Ihr Name wird bei der DE-NIC registriert, der Organisation für die Vergabe dieser attraktiven Webadressen.

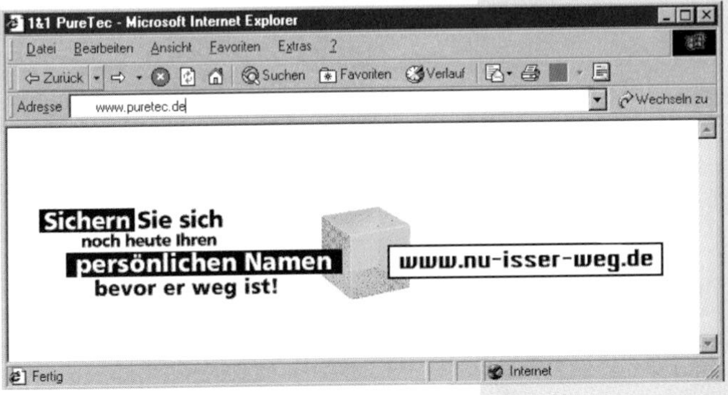

5 Auch hier gibt es unzählige (kostenpflichtige) Dienstleister, die Ihnen zu einer eigenen Domäne verhelfen und Ihnen gleichzeitig die Registrierung abnehmen. In Deutschland sind das beispielsweise

- PureTec, zu finden unter www.puretec.de
- Strato, zu finden unter www.strato.de
- Loomes, zu finden unter www.loomes.de

6 Vergleichen Sie die Angebote vorher sorgfältig. Auf den ersten Blick mögen die Offerten günstig erscheinen: Wichtige Funktionen wie freie CGIs oder – falls Sie nicht darauf verzichten können – FrontPage-Unterstützung bekommen Sie teilweise nur gegen erheblichen Aufpreis. Meine Erfahrungen mit PureTec und Strato sind derzeit (wieder) gut.

Übrigens: Eine eigene Domäne wird auch als „top level domain" bezeichnet.

Alles perfekt? Kontrollieren Sie den Quellcode!

Ich gebe es zu: Handarbeit ist mühevoll! Und nicht selten schleicht sich ein Fehler ein. Kontrollieren Sie deshalb Ihren Quellcode auf Fehler.

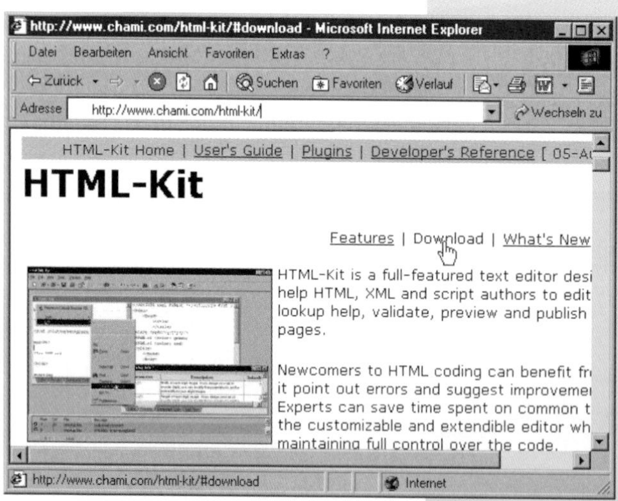

1 Das W3C hat ein Programm entwickelt, mit dem Sie bequem Ihre Syntax kontrollieren und sogar Dokumente von HTML nach XHTML konvertieren können. Es handelt sich um das Tool HTML-TIDY von Dave Raggett. Die Homepage von TIDY finden Sie unter www.w3.org/People/Raggett/tidy.,

2 TIDY ist ein Kommandozeilen-orientiertes Programm, also schwer zu bedienen. Zum Glück gibt es etliche Webeditoren, die gleichzeitig als grafische Oberfläche für TIDY fungie-

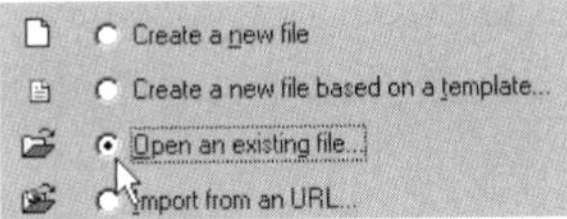

ren. Am gelungendsten ist die Integration in das Tool HTML-Kit. Das ist ein kleiner, aber feiner HTML-Editor. Sie finden das Freewareprogramm unter www.chami.com/html-kit.

3 Starten Sie das Programm. Öffnen Sie das zu prüfende Dokument. Wählen Sie dafür die Option *Open an existing file* bzw. klicken Sie auf die *Öffnen*-Schaltfläche.

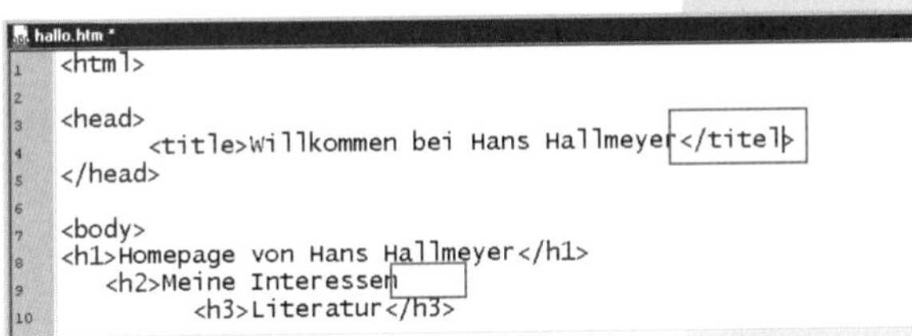

4 Im Beispiel untersuchen wir die Datei *hallo.htm* vom Beginn des Buchs. Ich habe vorsätzlich ein paar Fehler eingebaut. Statt </title> schrieb ich </titel> und bei einer Überschrift „vergaß" ich den End-Tag.

5 Drücken Sie jetzt die Funktionstaste [F9] auf Ihrer Tastatur. Damit starten Sie die Prüfaktion.

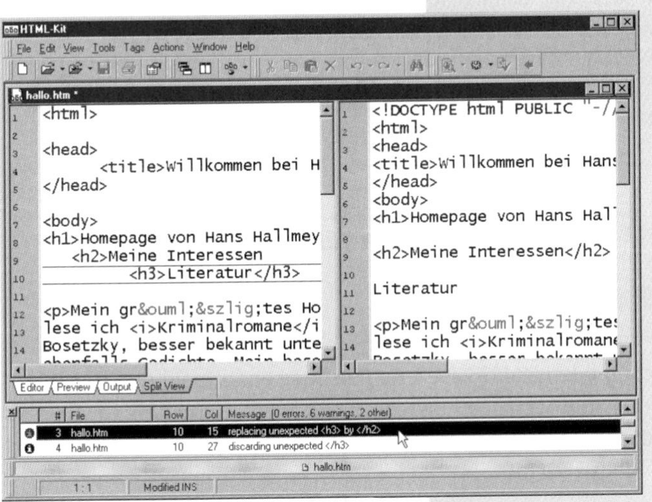

6 TIDY schaltet in eine „dreigeteilte" Ansicht um. Im rechten Bereich finden Sie das korrigierte und ordentlich ausgerichtete Dokument. Im unteren Teil werden Sie detailliert über jeden Fehler informiert.

7 Sie wollen den berichtigten Quellcode übernehmen? Dann klicken Sie mit der rechten Maustaste in den rechten Bereich des Fensters. Wählen Sie im Kontextmenü den Befehl *Copy All to Editor.*

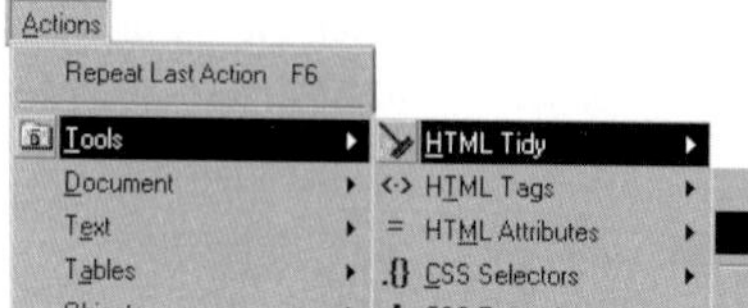

8 TIDY konvertiert Ihr Dokument außerdem nach (X)HTML oder XML. Wählen Sie *Actions/Tools/HTML Tidy/Convert to XHTML.*

Allerdings sollten Sie TIDY auch nicht blind vertrauen: Das Programm findet nicht jeden Fehler. Mein Vorschlag: Überprüfen Sie Ihre Seite, ohne das Ergebnis komplett zu übernehmen. Korrigieren Sie lieber die Fehler per Hand im linken Bereich.

Info

Weitere Qualitäten von TIDY

HTML-TIDY besitzt aber noch weitere Qualitäten. Es wird Ihre Umlaute automatisch umschreiben. Es wandelt selbst aufgeblähte „Word-HTML-Dokumente" in sauberen und schlanken Code um. Dafür sorgt der Befehl *Strip surplus Tags in Word 2000 pages*. Das Programm lässt sich vielfältig anpassen und wird ständig weiterentwickelt und ergänzt. Achten Sie deshalb darauf, stets die neuste Version von HTML-TIDY zu verwenden.

Suchen und Finden: Meta-Tags und Suchmaschinen

Gleich wird's richtig interessant! Laden Sie Ihre Seite endlich auf den Server! Melden Sie sich bei den Suchmaschinen an. Bevor ich Ihnen verrate, wie Sie Ihre Seiten beim Dienstleister installieren, schauen Sie sich kurz einmal an, was sich hinter den Meta-Tags verbirgt.

Einige Suchmaschinen werten die so genannten Meta-Tags aus. Das sind beispielsweise Hotbot, AltaVista und Fireball. Leider geht jede Suchmaschine dabei etwas anders vor. Doch was sind Meta-Tags?

1 Meta-Tags sind nichts weiter als Angaben über Ihre Homepage. Sie werden in den Head gesetzt, beispielsweise unter <title> und über </head>.

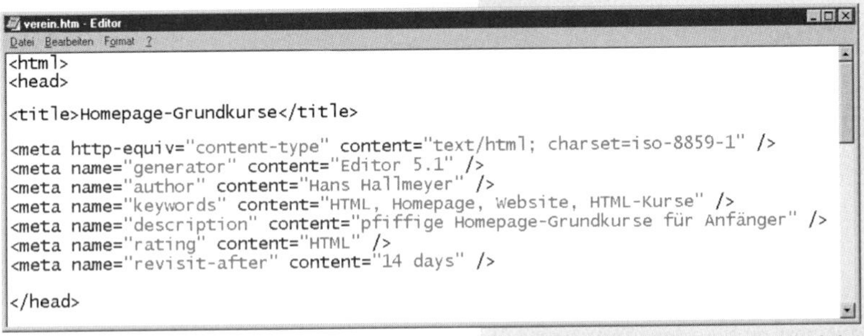

verein.htm - Editor

Datei Bearbeiten Format ?

```
<html>
<head>

<title>Homepage-Grundkurse</title>

<meta http-equiv="content-type" content="text/html; charset=iso-8859-1" />
<meta name="generator" content="Editor 5.1" />
<meta name="author" content="Hans Hallmeyer" />
<meta name="keywords" content="HTML, Homepage, Website, HTML-Kurse" />
<meta name="description" content="pfiffige Homepage-Grundkurse für Anfänger" />
<meta name="rating" content="HTML" />
<meta name="revisit-after" content="14 days" />

</head>
```

2 Hier als Beispiel einige ausgewählte Meta-Tags. Die erste Zeile ist Ihnen sicher schon bekannt. Hier geben Sie den Zeichensatz an. Wenn sie ihn so angeben wie oben, können Sie problemlos Umlaute verwenden.

```
<meta http-equiv="content-type" content="text/
   html; charset=iso-8859-1" />
```

3 Etliche HTML-Editoren verewigen sich gern im Meta-Tag *generator*. Sie können diesen Eintrag nachträglich ohne Schwierigkeiten aus Ihrem Dokument löschen.

```
<meta name="generator" content="Editor 5.1" />
```

4 Die Angabe *author* muss sicher nicht erst großartig erläutert werden. Geben Sie hier, wenn Sie wollen, Ihren Namen an.

```
<meta name="author" content="Hans Hallmeyer"
   />
```

5 Die Stichwörter (*keywords*) ermöglichen Ihnen, verschiedene Stich- bzw. Schlagwörter einzugeben. Trennen Sie diese durch Kommas. Bis zu 256 Zeichen sind gestattet.

```
<meta name="keywords" content="HTML,
   Homepage, Website, HTML-Kurse" />
```

6 Als Nächstes folgt die Beschreibung (*description*). Auch hier sind bis zu 256 Zeichen Text gestattet.

<meta name=“description“ content=“pfiffige Homepage-Grundkurse für Anfänger“ />

7 *Rating* heißt so viel wie Einschätzung, Kategorie. Hier ist lediglich ein Eintrag nötig, beispielsweise ein kurzes Wort zur Einordnung Ihrer Seite.

<meta name=“rating“ content=“HTML“ />

8 Geben Sie mit *revisit-after* einen Zeitraum an, nach dem die Suchmaschine die Seite wieder indizieren soll.

<meta name=“revisit-after“ content=“14 days“ />

Leider gibt es bei Meta-Tags keine Standardisierung. Jede Suchmaschine verwendet ihre eigenen Regeln. Surfen Sie am besten bei der betreffenden Suchmaschine vorbei und informieren Sie sich.

Info

Meta-Tag-Generator bei Fireball

Die deutschsprachige Suchmaschine Fireball nimmt Ihnen die Arbeit ab. Surfen Sie einfach zur Adresse www.fireball.de/metagenerator.html. Hier finden Sie einen Meta-Tag-Generator, der Ihnen das Erstellen der Meta-Tags vereinfacht.

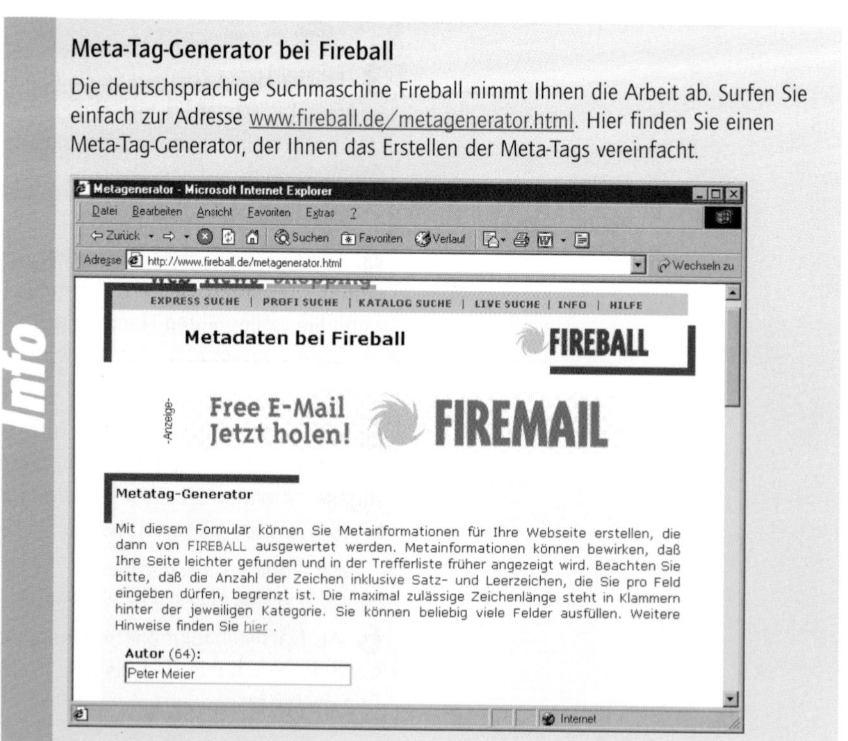

Das FTP-Programm konfigurieren

Sie wollen Ihre Seiten auf den Server des Dienstleisters laden? Nichts leichter als das! Besorgen Sie sich vorher das richtige Tool, Sie benötigen ein so genanntes FTP-Programm.

Info

WS_FTP ist das bekannteste FTP-Programm

Bekannte FTP-Programme sind beispielsweise Cute FTP oder WS_FTP. Ich empfehle Ihnen WS_FTP. Die jeweils neuste Version können Sie sich von www.ipswitch.com herunterladen, müssen das Programm allerdings bezahlen. Ältere, aber dafür uneingeschränkt kostenlose Versionen können Sie über die Service-Seite www.jchanke.de/fix.html abrufen.

Das Schöne an WS_FTP: Sie müssen es nicht erst umständlich installieren. Doppelklicken Sie auf die entsprechende EXE-Datei und schon startet das Programm.

1 Starten Sie WS_FTP. Im Beispiel handelt es sich um die Version WS_FTP95. Doppelklicken Sie einfach auf die entsprechende EXE-Datei.

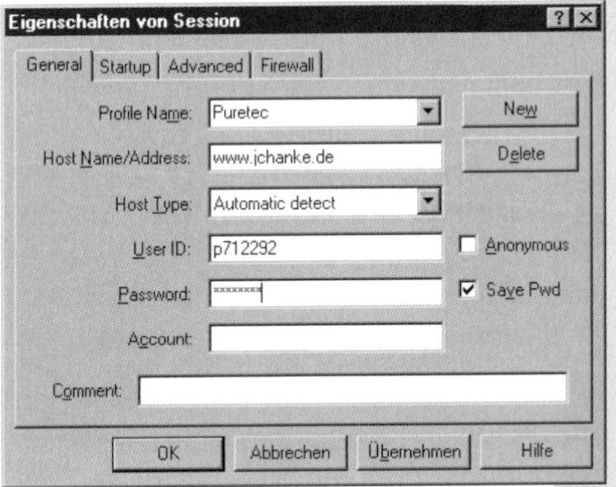

2 Richten Sie das Programm nun wunschgemäß ein. Tippen Sie dazu die entsprechenden Angaben in die Formularfelder. Wie soll der *Profile Name* lauten? Das ist der Name, unter dem Sie Ihre Angaben letztendlich speichern und wiederfinden.

3 Besonders wichtig sind die Felder *Host Name/Address*, *User ID* und *Password*. Was Sie hier im Einzelnen eintragen müssen, kann Ihnen nur Ihr Dienstleister verraten.

4 Bei *Host Type* steht in der Regel *Automatic Detect*. Bei manchen Dienstleistern sind zusätzliche Angaben nötig.

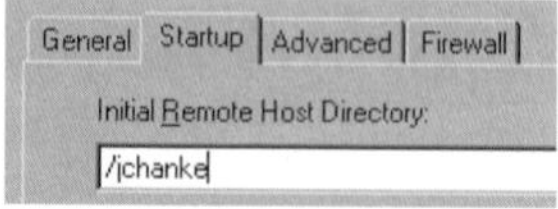

5 Für AOL müssen Sie noch ins Register *Startup* gehen. (In älteren WS_FTP-Versionen gibt es stattdessen ein Feld namens *Startup*). Tippen Sie im Feld *Initial Remote Host Directory* zusätzlich „/aolname". Das ist aber wirklich nur bei AOL nötig. Wie schon erwähnt: Folgen Sie einfach den Hinweisen Ihres Dienstleisters.

6 Sichern Sie Ihre Einträge durch Klick auf die Schaltfläche *Übernehmen*. So haben Sie für den betreffenden Dienstleister ein Profil eingerichet.

Sie wollen Ihre Homepage bei mehreren Dienstleistern installieren? Über *New* können Sie ein weiteres Profil anlegen. Vergeben Sie wieder einen *Profile Name* und füllen Sie die übrigen Felder entsprechend den Angaben Ihres Dienstleisters aus.

Bitte hochladen: Site auf den Server überspielen

Jetzt haben Sie WS_FTP konfiguriert. Überspielen Sie Ihre Dateien nun auf den Server. Die Vorgehensweise ist von Version zu Version etwas unterschiedlich. In WS_FTP 95 gehen Sie so vor:

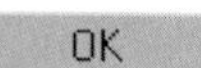

1 Suchen Sie sich das gewünschte Profil aus dem Listenfeld bei *Profile Name* aus. Wenn Sie nur einen Dienstleister verwenden, bleibt Ihr Standardprofil in der Regel voreingestellt.

2 Klicken Sie jetzt einfach auf die Schaltfläche *OK*. WS_FTP verbindet Sie mit dem Server. Sie können auf Ihr Verzeichnis zugreifen. Falls Sie das Fenster mit Ihren Daten nicht mehr sehen, müssen Sie vorher noch auf die Schaltfläche *Connect* klicken.

3 WS_FTP arbeitet wie ein Datei-Manager: Im linken Bereich sehen Sie stets den Inhalt Ihrer lokalen Festplatte. Im rechten Bereich jedoch haben Sie Einblick in die Dateien auf dem Server. Doppelklicken Sie so lange auf die entsprechenden Ordner bzw. den grünen Pfeil mit den zwei Punkten, bis Sie auf der gewünschten Ebene angekommen sind.

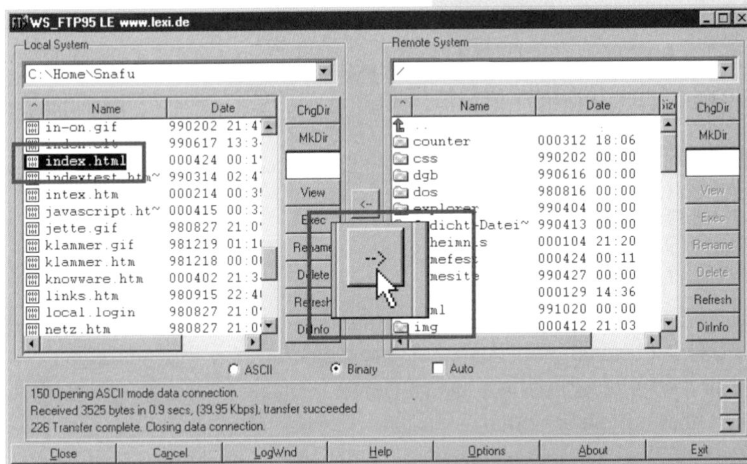

4 Sie möchten eine Datei auf den Server überspielen? Markieren Sie sie im linken Bereich. Klicken Sie jetzt auf die entsprechende Pfeil-Schaltfläche. Und schon wird die betreffende Datei vom linken in den rechten Bereich und somit auf den Server überspielt. Verfolgen Sie die Statusmeldungen im unteren Bereich von WS_FTP.

5 Sie können auch mehrere Dateien gleichzeitig markieren. Klicken Sie dafür zuerst die erste Datei an. Halten Sie jetzt die Taste [Umschalt] gedrückt. Markieren Sie die letzte Datei. Automatisch werden die dazwischen liegenden Dateien mit markiert. Das Auswählen nicht zusammenhängender Dateien geht auch. Dazu müssen Sie jedoch [Strg] gedrückt halten.

6 Selbst das Überführen einer kompletten Ordnerstruktur ist kein Problem. Markieren Sie

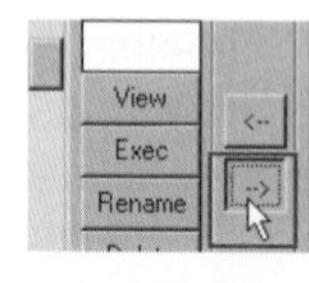

einfach den entsprechenden Ordner. Wählen Sie dann die Pfeilschaltfläche. Beantworten Sie die Frage *Do you want to transfer the selected directory structures?* mit *Ja*.

7 Klicken Sie auf die Schaltfläche *Close*, wenn Sie die Verbindung trennen möchten.

Tipps und Tricks zu WS_FTP

An dieser Stelle habe ich noch ein paar Hinweise, die Ihnen die Arbeit mit WS_FTP erleichtern sollen:

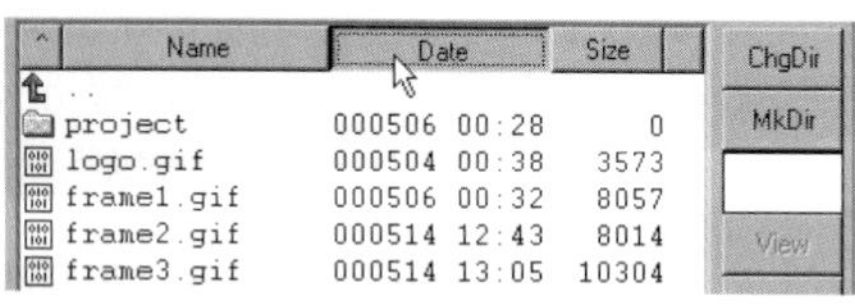

- *Sortieren*: Sie können durch einen Klick auf den entsprechenden Spaltenkopf die Dateien bequem nach Alphabet, Speicherdatum, Typ usw. sortieren.
- *Neuen Ordner erstellen*: Einen neuen Ordner erstellen Sie in WS_FTP durch einen Klick auf die Schaltfläche *MkDir*.
- *Ordner löschen*: Sie wollen einen Ordner löschen? Dann müssen Sie zuerst alle Dateien löschen, die sich in diesem Ordner befinden.
- *Profile*: Nutzen Sie WS_FTP für mehrere Dienstleister. Erstellen Sie mit der Schaltfläche *New* ein neues Profil. Wählen Sie dann jeweils *Connect*, um sich zu verbinden, bzw. *Close*, um die Verbindung zu trennen.

Und natürlich können Sie mit WS_FTP die Daten auch vom Server wieder zurück auf Ihre lokale Festplatte spielen! Nutzen Sie dafür den Pfeil, der nach links weist.

Anmeldung bei den Suchmaschinen

Wer sucht, der findet. Und damit auch Sie gefunden werden, sollten Sie Ihre Seite bei den Suchmaschinen anmelden. Sie wollen Ihre Seite bei einem Katalog wie Yahoo! oder Web.de anmelden? Kein Problem. Ich zeige es Ihnen am Beispiel von Web.de. Wir nehmen an, dass Sie eine Seite über Hunde erstellt haben.

1 Surfen Sie zur entsprechenden Katalog-Suchmaschine, im Beispiel zu www.web.de. Schauen Sie die Kategorien gut an. Überlegen Sie sich, in welche Kategorie Ihre Seite passen könnte.

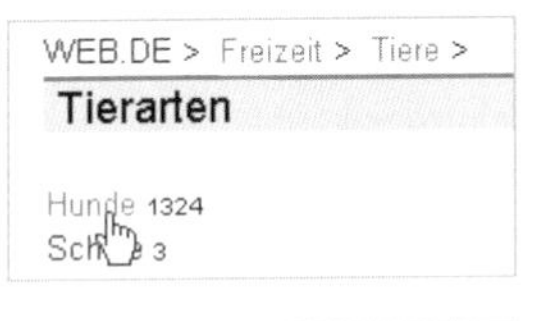

2 Wählen Sie im Beispiel *Freizeit*, gehen Sie in die Unterkategorie *Tiere*, wählen Sie dort *Tierarten* und zum Schluss die Rubrik *Hunde*.

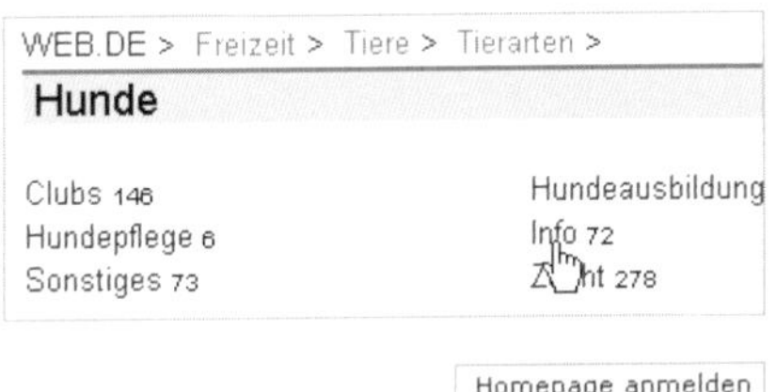

3 Je nach Thema gibt es weitere Unterkategorien. Haben Sie die gewünschte Kategorie gefunden, in der Sie die Seite einordnen möchten? Im Beispiel entscheide ich mich für *Info*.

4 Klicken Sie nun auf den Hyperlink *Homepage anmelden*.

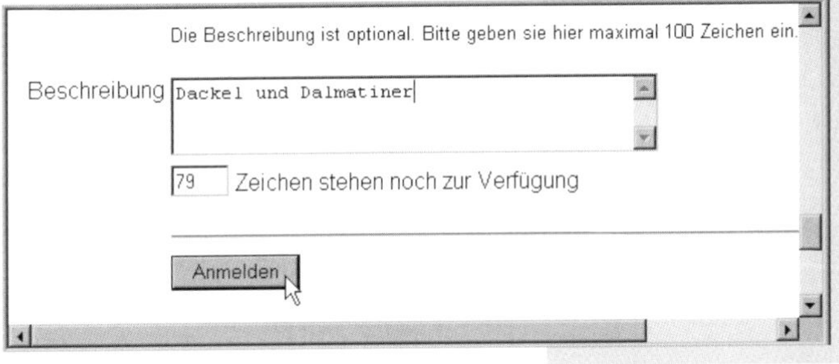

5 Füllen Sie jetzt das umfangreiche Onlineformular aus. Nehmen Sie sich Zeit. Klicken Sie zum Schluss auf *Anmelden*.

Es dauert bei Katalogen eine Weile, ehe Sie Ihren Eintrag in der Datenbank vorfinden. Schließlich prüfen die Redakteure vorher, ob Ihre Seite überhaupt würdig ist, aufgenommen zu werden.

Nur 30 bis 40 % aller Vorschläge werden in die Datenbank eingetragen.

Info

Seite bei Crawlern anmelden

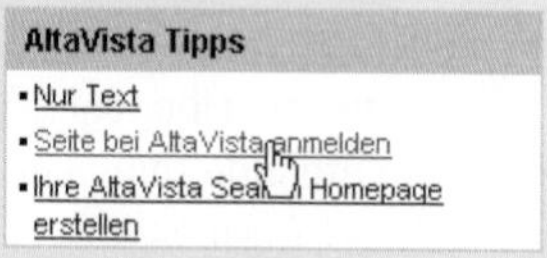

AltaVista Tipps

- Nur Text
- Seite bei AltaVista anmelden
- Ihre AltaVista Sea... Homepage erstellen

Bei den Crawlern wie www.fireball.de oder www.altavista.de ist das Ganze viel einfacher. Schließlich gehen die Maschinen automatisch auf die Suche, Ihre Seiten werden maschinell ausgewertet. Bei Altavista gehen Sie so vor: Surfen Sie zu www.altavista.de. Fahnden Sie nach einem Link wie *Seite bei AltaVista anmelden.* (Bei anderen Maschinen kann er auch *Seite anmelden* oder *URL melden* heißen.) Tippen Sie Ihre Webadresse in das Formular ein. Wählen Sie die Schaltfläche *Hinzufügen*. Das war's schon. Die Maschine wird Ihre Seite demnächst besuchen und schnellstmöglich in die Datenbank eintragen.

Referenzteil: Die wichtigsten Tags und Attribute

Auf den folgenden Seiten erhalten Sie eine kurze Übersicht zu HTML und CSS. Hier finden Sie die wichtigsten Tags, Attribute und Werte.

Dateiendungen und Zeichencodes

Hier ein Überblick über die wichtigsten Dateiendungen und Ihre Bedeutung.

Dokumenttyp	Dateiendung
HTML bzw. (X)HTML-Dokument	*.htm* oder *.html*
externe JavaScript-Datei	*.js*
XML-Dokument	*.xml*
WML-Datei	*.wml*
externe Dokumenttyp-Definition (DTD)	*.dtd*
externe CSS-Style-Sheet-Datei	*.css*
externe XSL-Style-Sheet-Datei	*.xsl*
GIF-Grafik	*.gif*
JPG-Grafik	*.jpg*
PNG-Grafik	*.png*

Die nächste Tabelle enthält eine Übersicht über die gebräuchlichsten Zeichencodes nach dem so genannten ISO-Standard.

ISO-Standard	Ländergruppe(n)
UTF-8 (Unicode)	universeller Zeichensatz, weltweit
ISO-8859-1 (Latin-1)	Westeuropa, Lateinamerika
ISO-8859-2 (Latin-2)	Zentral- und Osteuropa
ISO-8859-3 (Latin-3)	Südosteuropa

ISO-Standard	Ländergruppe(n)
ISO-8859-4 (Latin-4)	Skandinavien, Baltikum
ISO-8859-5	Kyrillisch
ISO-8859-6	Arabisch
ISO-8859-7	Griechisch
ISO-8859-8	Hebräisch
ISO-8859-9	Türkisch
ISO-8859-10	Lappländisch, Nordisch, Eskimosprachen
EUC-JP oder Shift_JIS	Japanisch

HTML- und CSS-Kurzreferenz

Auf den nächsten Seiten finden Sie die wichtigsten Tags, Attribute und Werte zu (X)HTML und CSS.

Farben

Hier eine Übersicht über die erlaubten Farbnamen und ihre so genannten Hexadezimalwerte.

engl. Name	dt. Name	hexadezimaler Wert
black	schwarz	#000000
silver	hellgrau	#C0C0C0
gray	grau	#808080
white	weiß	#FFFFFF
maroon	kastanienbraun	#800000
red	rot	#FF0000
purple	lila	#800080
fuchsia	helllila	#FF00FF
green	dunkelgrün	#008000
lime	hellgrün	#00FF00

engl. Name	dt. Name	hexadezimaler Wert
olive	olivgrün	#808000
yellow	gelb	#FFFF00
navy	dunkelblau	#000080
blue	blau	#0000FF
teal	blaugrün	#008080
aqua	himmelblau	#00FFFF

Sonderzeichen in HTML

Es empfiehlt sich, Sonderzeichen wie folgt zu umschreiben.

Sonderzeichen	Kodierung
ä	ä
Ä	Ä
ö	ö
Ö	Ö
ü	ü
Ü	Ü
ß	ß
<	<
>	>
&	&
“	"
‘ (Apostroph)	'

Allgemeine Tags

Tag	Attribut	Werte	Erklärung	Beispiel
<html>			Definiert eine HTML-Datei.	
<head>			Definiert Kopf einer HTML-Datei.	
<title>			Erzeugt den Titel der Datei, der in der Titelzeile des Browsers erscheint.	<title>Meine Seite </title>
<body>			Leitet Hauptbereich ein.	
	text	hex. Code, Farbname	Definiert Textfarbe.	<body text="#000080">
	back-ground		Fügt Hintergrundbild ein.	<body background= "bild.gif">
	bgcolor	hex. Code, Farbname	Definiert eine Hintergrundfarbe.	<body bgcolor="white">
	link	hex. Code, Farbname	Farbe des Links.	<body link="green">
	alink	hex. Code, Farbname	Farbe des aktiven Links.	<body alink= "#008080">
	vlink	hex. Code, Farbname	Farbe des besuchten Links.	<body vlink="red">
<meta />			Erzeugt Bereich für Zusatzinformationen.	
<bgsound />			Spielt Klangdatei beim Aufruf des Dokuments ab.	
	src	Name d. Klangdatei	Nur Internet Explorer, kein Standard.	<bgsound src="musik. mid" />

Die wichtigsten Tags zur Textauszeichnung

Hier erhalten Sie eine Übersicht über die wichtigsten Tags zur Textauszeichung und die möglichen Attribute. Wie die einzelnen Textpassagen dargestellt werden, hängt allerdings vom Browser ab.

Tag	Erklärung	Beispiel
<h1></h1> bis <h6></h6>	Überschriftenebenen 1 bis 6.	<h2>Überschrift 2</h2>
<b></b>	Bold, fett.	Das ist eine <b>fette</b> Sache.
<i></i>	Italics, kursiv.	Mit <i>kursiv</i> wird's schief!
<u></u>	Underlined, unterstrichen.	Bitte <u>nicht</u> verwenden.
<span></span>	Definiert ein <span>-Container, ideal für Zeichenformatierung via Style Sheets.	Das ist ein <span class="rot" id="rot">rotes Wort</span>.
<strike></strike>	Durchgestrichen	<strike>durchgestrichen</strike>
<big></big>	Große Schrift, gut für Hervorhebungen.	<big>E</big>s war einmal.
<small></small>	Kleine Schrift.	<small>immer klein</small>
	Subscript, Tiefstellung.	H₂O
	Superscript, Hochstellung.	10⁵
<em></em>	Emphatic, hervorgehoben, betont, wird oft kursiv dargestellt.	Es ist <em>sehr</em> wichtig!
<strong></strong>	Strong, stark betont, oft fett dargestellt.	Bitte komme <strong>nicht </strong>.
<code></code>	Für Computerquellcode.	<code>function hallo()</code>
<kbd></kbd>	Text, der über die Tastatur einzugeben ist.	Tippe <kbd>md spiele</kbd>.
<cite></cite>	Literaturangaben, werden meist kursiv dargestellt.	siehe auch <cite>Raggett 00 </cite>.
<dfn></dfn>	Definition, Definitionstext.	<dfn>p steht für paragraph </dfn>
<samp></samp>	Text wird ausgegeben wie eingegeben.	<samp>§%&$</samp>
<q></q>	Für kurze Zitate, meist kursiv dargestellt.	<q>Hallo</q> sagte er.
<tt></tt>	Teletype, Fernschreiber, nicht proportionale Schrift.	<tt>Text steht z. B. in Courier</tt>

Font-Tag

Der <font>-Tag ist veraltet und sollte laut W3C nicht mehr verwendet werden. Die bessere Alternative sind Style Sheets. Verwenden Sie den <font>-Tag trotzdem, wenn Sie Rücksicht auf ältere Browser (Netscape 3, Internet Explorer 2) nehmen möchten.

Tag	Attrib.	Werte	Erklärung	Beispiel
<font>			Legt Schrifteigenschaften fest.	<h2>Überschrift 2</h2>
	face	Schriftart	Definiert eine Schriftart.	<font face="Times">Bei spiel</font>
	size	1 bis 7 (Normal= 4) oder relative Werte wie -1, -2, +1, +2 (Normal=0)	Definiert die Schriftgröße.	<font face="Arial"size= "+2">2 Stufen größer </font>
	color	hex. Wert oder Farbna-me	Definiert die Schriftfarbe.	<font face="Helvetica" color="blue">Das Blaue vom Himmel</font>

Tags zur Ausrichtung von Text

Tag	Attribut	Werte	Erklärung	Beispiel
<p></p>			Definiert einen Absatz.	<p>Das ist ein Absatz</p>
	align	left, center,	Ausrichtung. right, justify	<p align="right">Rechtsbündige Ausrichtung</p>
	class bzw. id	freier Name	Definiert eine eigene Klasse.	<p class="zitat" id="zitat">Das ist ein Zitat</p>
 			Zeilenumbruch.	
<div></div>			„Container“ auf Absatzebene.	<div>Das ist ein freier Absatz</div>
	class bzw. id	freier Name	Definiert eine eigene Klasse.	<div class="pos1">Ein Abschnitt</div>

Listen

Tag	Attribut	Werte	Erklärung	Beispiel
<ul></ul>			Unordered list, erzeugt eine Aufzählung mit Bullets (Aufzählungszeichen).	
	type	**disc**	Voreinstellung, gefüllte runde Bullets.	
		square	Gefüllte, quadratische Bullets.	<ul type="square">
		circle	Hohle, kreisförmige Bullets.	<ul type="circle">

Tag	Attribut	Werte	Erklärung	Beispiel
<ol></ol>			Ordered list, erzeugt eine Nummerierung.	
	type	**1**	Typ der Nummerierung, Voreinstellung sind arabische Zahlen.	
		A	Großbuchstaben.	<ol type="A">
		a	Kleinbuchstaben.	<ol type="a">
		I	Große römische Ziffern (großes i).	<ol type="I">
		i	Kleine römische Ziffern (kleines i).	<ol type="i">
	start	Ziffer	Startwert, Voreinstellung ist 1.	<ol type="1" start="3">
		Wert		<ol type="A" start="E">
<li></li>			List, Listeneintrag.	<li>Hunde</li>

Formulare

Tag	Attribut	Werte	Erklärung	Beispiel
<form> </form>			Umschließt ein Formular.	
	action	Pfad zu CGI-Skript		action="http://www.xyz.de/cgi-bin/a.pl"
		E-Mail-Adresse		action="mailto:info@xyz.de"
	method	post oder get	Art der Übermittlung.	method="post"
<input />	type		Definiert ein Formularelement.	
		text	Texteingabefeld.	<input type="text" />
		password	Feld zur Passworteingabe.	<input type="password" />
		radio	Radioknopf (Einfachauswahl).	<input type="radio" name="a" value="1" />
		checkbox	Kontrollkästchen (Mehrfach auswahl).	<input type="checkbox" name= "c" value="0" />
		reset	Reset-Button.	<input type="reset" value= "Reset" />

Tag	Attribut	Werte	Erklärung	Beispiel
		submit	Submit-Button (Abschicken).	<input type=”submit” value =”Go” />
		button	Schaltfläche.	<input type=”button” value=”Go” onClick=”go()” />
<text-area>			Mehrzeiliges Texteingabefeld.	
	rows, cols	Wert	Anzahl der Zeilen, Länge.	<textarea name=”a” rows=”2" cols=”70"></textarea>
	wrap	soft	Zeilenumbruch, leider ist Standard *off* (kein Umbruch).	<textarea name=”a” rows=”2" cols=”70" wrap=”soft”></text-area>
<select>			Definiert Auswahlfeld.	
	size	Wert	Definiert, wie viele Felder angezeigt werden, Voreinstellung 1 (Klappliste).	<select name=”auswahl” size= ”1">
<option>			Auswahlfeld im <select>-Tag.	<option>Seite 1</option>

Sonstige Tags

Tag	Attribut	Werte	Erklärung	Beispiel
<hr />			Erzeugt eine Linie.	<hr />
	size	Pixel	Dicke der Linie, Voreinstellung 1.	<hr size=”5" />
	width	Pixel, %	Breite in Pixel oder Prozent, 100 % ist Voreinstellung.	<hr width=”300" />
	align	**center**	Zentriert, Voreinstellung.	
		left	Linksbündig.	<hr width=”50%” align=”left” />
		right	Rechtsbündig.	<hr width=”350" align=”right” />
	color	hex. Code,	Farbname	Farbe, nur Internet Explorer. <hr width=”300" size=”4" color =”red” />
	noshade	noshade	Linie soll keinen Schatten werfen.	<hr noshade=”noshade” />

Lauftext (marquee)

Hier die wichtigsten Attribute von <marquee>. Dieser Tag wird derzeit nicht vom Netscape-Browser interpretiert.

Tag	Attribut	Werte	Erklärung	Beispiel
<mar-quee>			Lauftext.	<marquee>Alles rollt </marquee>
	loop	Ziffer	Anzahl der Wiederholungen, Voreinstellung ist unendlich.	<marquee loop="5">rollt 5x</marquee>
	behavior		Bewegungsverhalten.	
		scroll	Voreinstellung, einfaches Durchlaufen.	behavior="scroll"
		alternate	Hin und her.	behavior="alternate"
		slide	Reinrollen, stehen bleiben.	behavior="slide"
	direction		Richtung.	
		left	Voreinstellung, von links.	direction="left"
		right	Von rechts.	direction="right"
		down	Nach unten.	direction="down"
		up	Nach oben.	direction="up"
	bgcolor	hex. Wert o. Farbname	Hintergrundfarbe des Laufbands.	bgcolor="yellow"
	height	Pixel, Prozent	Höhe des Laufbands.	height="100"
	width	Pixel, Prozent	Breite des Laufbands.	width="20%"
	scroll amount	Ziffer	Gibt an, um wie viele Pixel Objekt bei jedem Animationsschritt bewegt wird.	scrollamount="25"
	scroll-delay	in ms	Dauer der Pause zwischen zwei Animationsschritten in Millisekunden.	scrolldelay="1000"

Grafiken und Media-Dateien einbinden

Hier die wichtigsten Attribute und Werte zum Einbinden von Grafiken und Media-Dateien.

Tag	Attribut	Werte	Beschreibung	Beispiel
<img />			Fügt Grafikdatei ein.	
	src	Dateiname	Quelle der Datei	<img src="tower.gif" />.
	align		Ausrichtung der Grafik.	
		left	Linksbündig mit Textfluss.	<img src="tower.gif" align="left" />
		right	Rechtsbündig mit Textfluss.	<img src="tower.gif" align="right" />
	width	Pixel	Breite der Grafik.	width="100"
	height	Pixel	Höhe der Grafik.	width="100" height="20"
	alt	Text	Alternativtext.	<img src="tower.gif" alt="Tower von London" />
	border	Pixel	Fügt Rahmen ein, (*border="0"* ist ohne).	<img src="tower.gif" border="3" />
	vspace	Pixel	Zusätzlicher Raum oben und unten.	vspace="5"
	hspace	Pixel	Zusätzlicher Raum links und rechts.	hspace="2"
<embed />			Fügt eine Media-Datei ein.	
	src	Dateiname	Quelle der Datei.	<embed src="song.mid" />
	width, height	Pixel	Höhe bzw. Breite des Players.	<embed src="film.avi" width="150" height= "75" />
	autostart	true, false	Gibt an, ob Stück automatisch gespielt wird.	<embed src="song.mp3" autostart="false" />
	loop	true, false	Gibt an, ob im Dauermodus abgespielt wird, Voreinstellung ist *true*.	<embed src="song.mp3" autostart="false" loop= "false" />
	hidden	true, false	Gibt an, ob Player angezeigt oder versteckt wird, z. B. für Hintergrundsound.	<embed src="song.mid" hidden="false" />

Anker und Hyperlinks

Tag	Attribut	Werte	Beschreibung	Beispiel
<a>	href	Quelle der Datei (URL)	Verweist auf eine interne oder externe Datei.	<a href="tower.gif">...</a>
				<a href="http://www.databecker.de">...</a>
		Ankername	Verweist auf einen internen Anker.	<a href="#zeichen">...</a>
		mailto:E-Mail-Adresse		<a href="mailto:info@lexi.de"> Feedback</a>
	name bzw. id	Ankername	Definiert einen internen Anker.	<a name="zeichen" id="zeichen"> ...</a>

Tabellen

In der folgenden Tabelle finden Sie die wichtigsten Tags und Attribute für Tabellen.

Tag	Attribut	Werte	Beschreibung	Beispiel
<table>			Leitet eine Tabelle ein.	
	border	Pixel	Definiert Rahmen, Voreinstellung =0.	<table border="3">
	bgcolor	hex. Wert, Farbmane	Hintergrundfarbe.	<table border="3" bgcolor= "yellow">
	align	left, right	Ausrichtung, nur so findet Textfluss statt, Voreinstellung ist ohne.	<table align="right">
	width	Pixel, %	Breite absolut oder relativ.	<table width="75%">
	cellpadding	Pixel	Platz zwischen Zellrand und Zellinhalt, „Polsterung".	<table border="1" cellpadding="4">
	cellspacing	Pixel	Abstand zwischen einzelnen Feldern, „Dicke der Wand".	<table border="1" cellspacing="4" >
<tr>			Definiert „gewöhnliche" Zelle.	<td>5</td>
	width	Pixel, %	Breite absolut oder relativ.	<tr width="200">
	align	left, center, right	Ausrichtung, Voreinstellung =*left*.	<tr width="200" align= "right">

Tag	Attribut	Werte	Beschreibung	Beispiel
	valign	top, middle, bottom	Vertikalausrichtung, Voreinstellung =*middle*.	<tr width="200" align="right" valign="top">
	bgcolor	hex. Wert, Farbname	Hintergrundfarbe.	<tr bgcolor="#FF0000">
	colspan	Wert	Definiert, über wie viele Spalten sich eine Zelle erstreckt.	<tr colspan="3">
	rowspan	Wert	Definiert, über wie viele Zeilen sich eine Zelle erstreckt.	<tr rowspan="2">
<th>	siehe <tr>		Definiert Zelle im Tabellenkopf.	<th>Anzahl</th>.

Framesets

Lassen Sie sich nicht von der Vielzahl der Möglichkeiten in Framesets verwirren! Die Attribute *bordercolor* oder *frameborder* dienen nur der Vollständigkeit. Sie werden in der Praxis kaum benötigt.

Tag	Attribut	Werte	Erklärung	Beispiel
<frameset>			Leitet ein Frameset ein.	
	cols	Pixel, %, *	Teilt das Fenster in Spalten (columns) ein.	<frameset cols= "*,50">
	rows	Pixel, %, *	Teilt das Fenster in Zeilen (rows) ein.	<frameset rows= "10%,*">
	border	Pixel	Gibt Rahmenbreite in Pixeln an, Rahmen werden mit *border="0"* unterdrückt, Tag ist veraltet, aber derzeit noch unentbehrlich.	<frameset rows= "10%,*" border="0">
	frame-border	0, 1 (yes, no)	Legt fest, ob Rahmen (mit Effekt) dargestellt werden soll. Ältere Browser verlangen yes und no.	frameborder="1"
	boder-color	hex. Code, Farbname	Weist dem Rahmen eine bestimmte Farbe zu.	<frameset="10,*,20" border="10" border-color="red">
<frame />			Zeigt eine Seite im Frameset an.	
	src	Dateiname	Gibt Quelle (source) für den Frame an.	<frame src="navi. htm" />

Tag	Attribut	Werte	Erklärung	Beispiel
	scrolling	**auto**, yes, no	Gibt an, ob Rollbalken angezeigt oder unterdrückt werden sollen.	<frame src="navi.htm" scrolling="no" />
	noresize	noresize	Unterdrückt das Anpassen der Rahmengröße durch den Benutzer.	<frame src="navi.htm" noresize="noresize" />
	margin-width	Pixel	Randbreite, Abstand zwischen rechtem und linkem Fensterrand.	<frame src="navi.htm" marginwidth="0" />
	margin-height	Pixel	Randhöhe, Abstand zwischen oberem und unterem Fensterrand.	<frame src="navi.htm" marginheight="5" />
</frameset>			Beendet das Frameset, darf nicht weggelassen werden.	</frameset>
<noframes>			Leitet Alternativbeschreibung für nicht-framefähige Browser ein.	<noframes>Sorry, Ihr Browser versteht keine Frames</noframes>
</noframes>			End-Tag für *<noframes>*.	

CSS-Referenz: Die wichtigsten Attribute

Auf den nächsten Seiten erhalten Sie eine Übersicht über die wichtigsten Attribute und Werte von CSS. Am besten werden Style-Sheet-Dokumente derzeit von Opera 4, Netscape 6 und natürlich vom Internet Explorer 5.x unterstützt.

Maßeinheiten in CSS

In CSS sind nun so viele verschiedene Maßeinheiten erlaubt, dass es fast unübersichtlich wird:

- Pixel, Endung *.px*
- Millimeter, Endung *.mm*
- Zentimeter, Endung *.cm*
- Zoll, Endung *.in* von inch, 1 Zoll entspricht 2,54 cm
- Typographischer Punkt, Endung *.pt*, entspricht 1/72 inch
- Typographischer Pica-Punkt, Endung *.pc*, entspricht 12 pt
- Höhe der Großbuchstaben der aktuellen Schrift, Endung *.em*
- Höhe der Kleinbuchstaben der aktuellen Schrift, Endung *.en*

Die gebräuchlichsten Einheiten sind jedoch Pixel (z. b. *12px*), Zentimeter (*0.2cm*) oder auch Punkt (*12pt*). Denken Sie daran, bei ungeraden Werten als Dezimaltrenner einen Punkt statt des Kommas zu setzen.

Schrifteigenschaften

In der folgenden Tabelle erhalten Sie eine Übersicht über die mit dem Attribut *font* in Zusammenhang stehenden Schrifteigenschaften. So können Sie beispielsweise Schriftart, Schriftgröße und Eigenschaften wie fett und kursiv steuern.

Attribut	Wert	verantwortlich für	Beispiel
font-family	konkreter Schriftname	Schriftart.	font-family: Arial;
	serif	Schriftfamilie, Serifenschrift allgemein.	font-family: Times, serif;
	sans-serif	Schriftfamilie, serifenlose Schrift.	font-family: Arial, sans-serif;
	cursive	Schriftfamilie, kursiv-geschwungene Schrift allgemein.	font-family: cursive;
	monospace	Schriftfamilie, nicht-proportionale Schrift.	font-family: monospace;
	fantasy	Schriftfamilie, Fantasieschrift.	font-family: Western, fantasy;
font-size	pt, cm usw.	Schriftgröße.	font-size: 12pt;
font-style		Schriftschnitt.	
	normal	Ohne Eigenschaft.	
	italic	Kursiv.	font-style: italic;
	oblique	Hohlschrift.	font-style: oblique;
font-variant		Schriftvarianten.	
	normal	Ohne Eigenschaft.	
	small-caps	Kapitälchen (kleine Großbuchstaben).	font-variant: small-caps;
font-weight	100 bis 900	Dickte (gemessen in Hunderter schritten).	font-weight: 500;
	normal	Entspricht Wert 400.	font-weight: normal;
	bold	Entspricht Wert 700.	font-weight: bold;

Am wichtigsten ist das Attribut *font-family*. Mit *font-family* weisen Sie nicht nur eine konkrete Schriftart, sondern als Alternative auch eine Schriftfamilie zu. Die so genannten „generischen Schriftfamilien" *serif, sans-serif, monospace, cursive* und *fantasy* stehen als Stellvertreter für eine ganze „Gattung". Der Browser sucht sich eine entsprechende Schrift aus dieser Kategorie aus. Bei *monospace* könnte das eine Schreibmaschinenschrift wie *Courier* oder *Courier New* sein.

Texthervorhebungen

CSS bietet Ihnen etliche Möglichkeiten, den Text mehr oder weniger hervorzuheben. Egal ob Großbuchstaben, Sperrschrift oder Unterstreichung – viele Eigenschaften kennen Sie sicher schon aus Ihrer Textverarbeitung.

Attribut	Wert	verantwortlich für	Beispiel
wordspacing	pt, cm	Wortzwischenraum.	word-spacing: 5pt;
letterspacing (für Sperrschrift).	pt, cm	Buchstabenzwischenraum	letterspacing: 0,2cm;
text-decoration		Hervorhebungen.	
	none	Schaltet Hervorhebung ab.	text-decoration: none;
	underline	Unterstrichen.	text-decoration: underline;
	overline	Strich darüber.	text-decoration: overline;
	line-through	Durchgestrichen.	text-decoration: line-through;
	blink	Blinkender Text.	text-decoration: blink;
text-transform		Groß- und Kleinschreibung.	
	none	Bleibt unverändert.	
	uppercase	Großbuchstaben.	text-transform: uppercase;
	lowercase	Kleinbuchstaben.	text-transform: lowercase;
	capitalize	Erster Buchstabe im Wort groß.	text-transform: capitalize;

Interessant ist beispielsweise *letter-spacing*. Damit können Sie den Effekt von S p e r r s c h r i f t erreichen. Schreiben Sie beispielsweise *letter-spacing: 5pt.*

Aber auch *text-decoration: none* sollten Sie ruhig einmal eines Blickes würdigen. Diese Eigenschaft können Sie für die Link-Styles (*A:link, A:hover, A:active, A:visited*) gut gebrauchen. Sie wollen, dass die Linkunterstreichung während des

Darüberfahrens mit der Maus ausgeschaltet wird? Schreiben Sie:

```
A: hover { text-decoration: none; }
```

Textausrichtung

Die folgende Tabelle gibt eine „kleinkrämerische" Übersicht über Möglichkeiten, den Text auszurichten. Sie finden hier Angaben, um die Absätze rechtsbündig, zentriert oder im Block auszurichten. Sie können die erste Zeile einziehen oder die Zeilenhöhe variieren. Auch für hoch- und tiefgestellte Zeichen finden Sie die richtigen Eigenschaften!

Attribut	Wert	verantwortlich für	Beispiel
display	block	Darstellung als Block, Absatz.	display: block;
	inline	Darstellung im Text, als Zeichen.	display: inline;
text-align		Absatzausrichtung.	
	left	Linksbündig, Normaleinstellung.	text-align: left;
	center	Zentriert.	text-align: center;
	right	Rechtsbündig.	text-align: right;
	justify	Blocksatz.	text-align: justify;
text-indent	pt, cm usw.	Erstzeileneinzug.	text-indent: 1cm;
line-height	pt, cm usw.	Zeilenhöhe.	line-height: 14pt;
	relativer Wert	Zeilenabstand relativ zur Schriftgröße.	line-height: 1.2;
vertical-align		Vertikalausrichtung relativ zur Grundlinie, auf der die Schrift ausgerichtet wird.	
	baseline	An Grundlinie, Normaleinstellung.	vertical-align: baseline;
	super	Hochstellung.	vertical-align: super;
	top	An Oberkante der Zeile.	vertical-align: top;
	text-top	An Oberkante des Textes.	vertical-align: text-top;
	middle	Mittig.	vertical-align: middle;
	text-bottom	Unterkante des Textes.	vertical-align: text-bottom;
	bottom	Unterkante der Zeile.	vertical-align: bottom;
	sub	Tiefstellung.	vertical-align: sub;

Listen gestalten

CSS hilft Ihnen perfekt, Ihre Auflistungen attraktiv zu gestalten! Hier ein Überblick. Einige Attribute gelten nur für <ol> (ordered list), andere wiederum ausschließlich für <ul> (unordered list).

Attribut	Wert	verantwortlich für	Beispiel
list-style-type		Erscheinungsform der Listen.	
(für ol)	**decimal**	Voreinstellung, (1, 2, 3, ...).	
	lower-alpha	Kleinbuchstaben (a, b, c, ...).	ol { list-style-type: lower-alpha; }
	upper-alpha	Großbuchstaben (A, B, C, ...).	ol { list-style-type: upper-alpha; }
	lower-roman	Römische Zahlen (i, ii, iii, ...).	ol { list-style-type: lower-roman; }
	upper-roman	Große römische Zahlen (I, II, III, ...).	ol { list-style-type: upper-roman; }
(für ul)	**disc**	Voreinstellung (gefüllter Kreis).	
	circle	Hohler Kreis.	ul { list-style-type: circle; }
	square	Quadrat.	ul { list-style-type: square; }
list-style-image	url(Dateiname)	Bindet Grafik als Aufzählungszeichen ein.	ul { list-style-image: url(bild.gif); }
list-style-position	**outside**	Voreinstellung, Text wird eingezogen.	
	inside	Text bleibt bündig am linken Rand, Aufzählungszeichen wird „integriert“.	ol { list-style-position: inside; }

Besonders interessant ist sicher die Möglichkeit, eine eigene Grafik als Aufzählungszeichen einzubinden. Bereiten Sie die Grafik entsprechend vor.

```
ul { list-style-image: url(aufzaehl1.gif); }
```

Farben und Hintergrund

Wie verändern Sie die Schriftfarbe? Wie weisen Sie eine Hintergrundfarbe oder eine Hintergrundgrafik zu? Wie fixieren Sie eine Hintergrundgrafik an einer bestimmten Stelle?

Attribut	Wert	verantwortlich für	Beispiel
color	hex. Wert bzw. Farbname	Farbe eines Elementinhalts, in der Regel Text.	body { color: blue; }
background	hex. Wert bzw. Farbname	Hintergrundfarbe, z. B. für „Schattierungseffekt“.	h1, h2 { background: silver; }
background-image	url(Grafikname) oder uri(Grafikname)	Bindet Hintergrundgrafik ein, uri(Grafikname) wäre die korrekte Syntax, funktioniert aber erst ab Netscape 6.	body { background-image: url(bild.gif); }
background-repeat		Legt fest, wie die Grafik ausgerichtet werden soll.	
	repeat	Voreinstellung, Kachelung.	background-repeat: repeat;
	repeat-x	Wiederholung nur horizontal, . „auf der x-Achse“	background-repeat: repeat-x;
	repeat-y	Wiederholung nur vertikal, „auf der y-Achse“.	background-repeat: repeat-y;
	no-repeat	Keine Wiederholung.	background-repeat: no-repeat;
background-attachment		Gibt an, ob Hintergrundgrafik beim Scrollen mitbewegt wird.	
	scroll	Voreinstellung, Browser bewegt Hintergrundgrafik mit.	background-attachment: scroll;
	fixed	Hintergrundgrafik bleibt feststehend.	background-attachment: fixed;
background-position	px, cm usw.	Position der Hintergrundgrafik, zuerst links, dann oben.	background-position: 100px 10px

Die leichteste Übung steckt im Attribut *color*. Weisen Sie ganz bequem beispielsweise Text eine Farbe zu. Sie können beispielsweise einen der 16 „freundlichen Farbnamen" verwenden.

Außenrand und Innenrand

Auch in CSS gibt es die Möglichkeit, den äußeren (*margin*) bzw. den inneren Randabstand (*padding*) einzustellen. So lassen sich beispielsweise Textblöcke oder auch die gesamte Seite (*body*) bequem einrücken.

Attribut	Wert	verantwortlich für	Beispiel
margin	pt, px, cm usw.	Außenabstand, äußerer „Leer raum".	body { margin: 1cm; }
margin-top		Rand von oben.	p { margin-top: 10px; }
margin-bottom		Rand von unten.	h3 { margin-bottom: 3pt; }
margin-left		Rand von links.	img { margin-left: 50px; }
margin-right		Rand von rechts.	p.zitat { margin-right: 10pt; }
padding	pt, px, cm usw.	Innenabstand, Füllung bzw. „Polsterung".	p { padding: 2cm; }
padding-top		Innenabstand von oben.	body { padding-top: 15px; }
padding-bottom		Innenabstand von unten.	h3 { padding-bottom: 1.3cm; }
padding-left		Innenabstand von links.	p.neu { padding-left: 5px; }
padding-right		Innenabstand von rechts.	img { padding-right: 5cm; }

Rahmen

Attribut	Wert	verantwortlich für	Beispiel
border	px, cm usw.	Rahmenbreite.	p { border: 5px; }
border-top		Rahmenbreite oben.	h1 { border-top: 0.2cm; }
border-bottom		Rahmenbreite unten.	h2 { border-bottom: 4px; }
border-left		Rahmenbreite links.	p.zitat { border-left: 5px; }
border-right		Rahmenbreite rechts.	pre { border-right: 12px; }
border-style		Rahmenstil.	
	solid	Durchgezogen.	p { border-style: solid; }
	double	Doppelte Rahmenlinie.	h1 { border-style: double; }
	groove	3-D-Effekt mit „Furche" bzw. „Rille".	p { border-style: groove; }
	ridge	3-D-Effekt mit erhöhtem Rand, mit „Rücken".	p.neu { border-style: ridge; }

Attribut	Wert	verantwortlich für	Beispiel
	inset	3-D-Effekt mit vertieftem Inhalt.	div { border-style: inset; }
	outset	3-D-Effekt mit erhöhtem Inhalt („Schaltfläche“).	span { border-style: outset; }
	dotted	Punktierter Rand.	h2, h3 { border-style: dotted; }
	dashed	Mit Strichen umzogen.	pre { border-style: dashed; }
border-style-top	siehe oben	Rahmenstil nur oben.	border-style-top: ridge;
border-style-bottom	siehe oben	Rahmenstil nur unten.	
border-style-left	siehe oben	Rahmenstil links.	
border-style-right	siehe oben	Rahmenstil rechts.	
border-width	px, cm usw.	Abstand zwischen Rahmenlinien (praktisch identisch mit Rahmenbreite), auch hier wieder möglich: border-width-top, border-width-bottom usw.	<div style="border style: outset; border-width: 10px;">
border-color	hex. Wert, Name, rgb	Rahmenfarbe, auch hier wieder möglich: border-color-top usw.	p { border: 7px; border-color: rgb(255, 0, 0); }

Elemente absolut positionieren

Zum absoluten Positionieren können Sie die Container-Tags <div> oder <span> verwenden. Folgende Attribute und Werte sind möglich:

Attribut	Wert	verantwortlich für	Beispiel
position		Positionierung auf der Seite.	
	static	Voreinstellung, normale Positionierung „im Kontext“.	
	absolute	Absolute Positionierung in Bezug auf linke obere Ecke, Position bleibt beim Rollen der Seite erhalten.	position: absolute; top: 10px; left 20px;
	relative	Ermöglicht eine Positionierung relativ zum vorhergehenden Element.	position: relative; top: 20px;
top	px, pt ...	Abstand vom oberen Rand.	

left	px, pt ...	Abstand vom linken Rand.	
width	px, pt ...	Breite des Elements.	width: 150px;
height	px, pt ...	Höhe des Elements.	height: 80px;
visibility		Sichtbarkeit.	
	visible	Voreinstellung, Element ist sichtbar.	
	hidden	Element wird versteckt.	visibility: hidden;
z-index	1, 2, 3 usw.	Legt Elementreihenfolge fest.	z-index: 2;

Pseudo-Klassen für Hyperlinks

Hier finden Sie die vier Pseudo-Klassen für Hyperlinks:

- *A:link*, der normale Hyperlink
- *A:hover*, Hyperlink während des Darüberfahrens mit der Maus
- *A:active*, der aktive Link
- *A:visited*, der besuchte Hyperlink

Um beispielsweise den Link während des Darüberstreichens hervorzuheben, schreiben Sie im Style Sheet beispielsweise

```
A:hover { text-decoration: none; color: red; }
```

Notfallkiste

Hoppla, es gibt Schwierigkeiten? Wo klemmt der Schuh? Schmökern Sie sich durch die nächsten Seiten, vielleicht finden Sie ja hier die Lösung für Ihr Problem!

Grafiken werden nicht angezeigt

Sie sehen Ihre Grafiken nicht? An deren Stelle erscheint ein Platzhalterrahmen? Dabei hatten Sie diese korrekt auf den Server geladen?

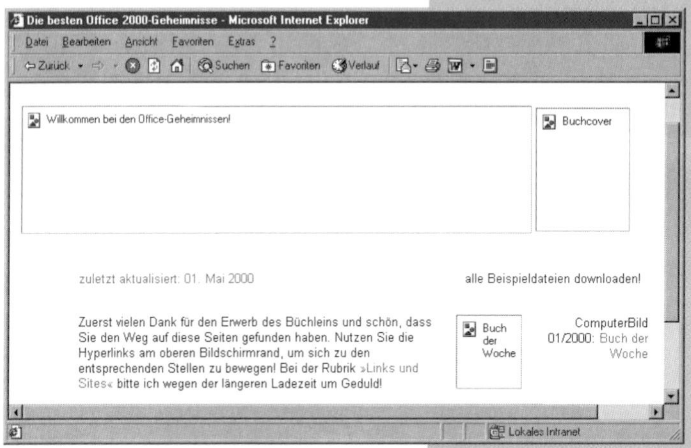

1 Überprüfen Sie Ihre Links auf die Grafiken. Es müssen relative Links sein, die Grafiken sollten idealerweise im gleichen Ordner liegen wie die HTML-Datei.

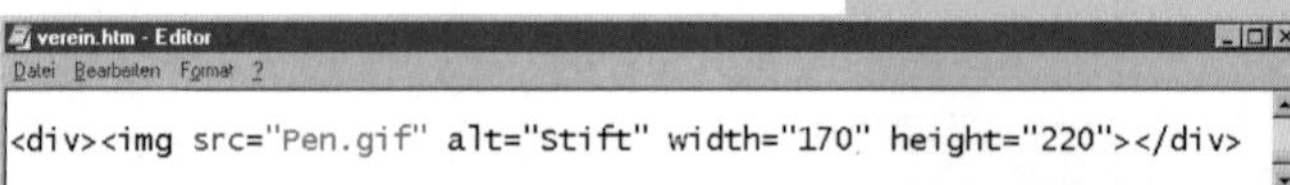

2 Überprüfen Sie außerdem, ob der Name der Grafik genauso geschrieben ist wie der Link darauf. Sie schreiben im Link beispielsweise *Pen.gif*?

3 Die Datei heißt in Wirklichkeit jedoch *pen.gif*? Groß- und Kleinschreibung werden bei UNIX-Servern sehr wohl unterschieden, auf Windows-Rechnern dagegen nicht. Bei Ihnen daheim ist alles in Ordnung, aber der Surfer bekommt im Zweifelsfalle keine Grafik zu Gesicht.

4 Verzichten Sie außerdem auf Leerzeichen und Umlaute in Ihren Grafiknamen!

5 Prüfen Sie außerdem, ob Sie tatsächlich das Format GIF bzw. JPEG verwendet haben. Bei PNG-Grafiken muss der Betrachter evtl. erst ein Plug-In herunterladen. Manchmal besitzt eine Grafik zwar die Endung *.gif*, ist in Wirklichkeit jedoch eine BMP-Datei.

Layout stimmt in Netscape und Internet Explorer nicht überein

Sie prüfen Ihre Seiten und stellen fest, dass das Layout nicht so aussieht wie gewünscht?

1 Vergessen Sie nicht, dass HTML normalerweise keine pixelgenaue Ausrichtung erlaubt.

2 Ursprünglich war diese Sprache für die Anzeige der logischen Dokumentstruktur gedacht, für mehr nicht!

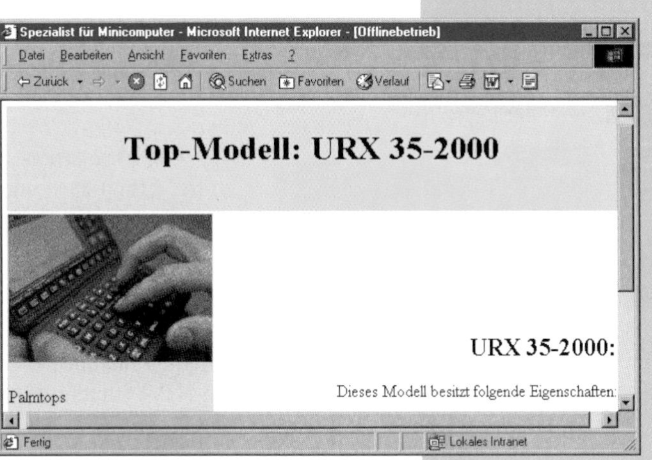

3 Sie können höchstens tricksen, indem Sie mit Tabellen arbeiten. Hier können Sie per *width* und *height* die Breite und Höhe pixelgenau festlegen.

4 Vergleichen Sie mit dem Kapitel „Der Onlineshop: Tolles Layout mit Tabellen in diesem Buch.

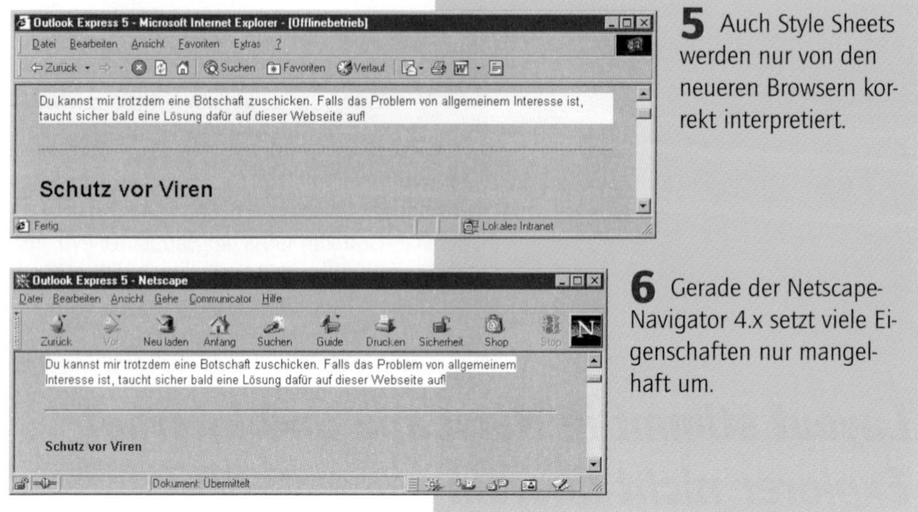

5 Auch Style Sheets werden nur von den neueren Browsern korrekt interpretiert.

6 Gerade der Netscape-Navigator 4.x setzt viele Eigenschaften nur mangelhaft um.

Sie können jedoch nicht erwarten, dass alle Browser Ihr Ergebnis gleichermaßen perfekt präsentieren.

Lauftext funktioniert nicht

Sie haben Lauftext in Ihre Seiten eingebunden und es „läuft nichts"? Denken Sie an das Browserproblem!

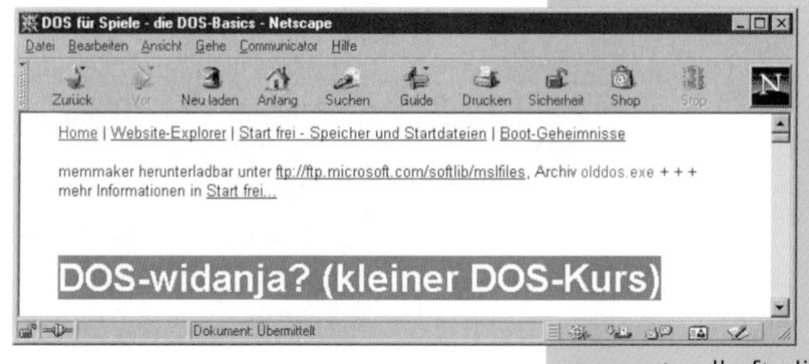

1 Leider, dieser Tag wird nur vom Microsoft Internet Explorer unterstützt, hier sogar schon seit der Version 2.

2 Der Netscape Navigator (auch in der neusten Fassung) weigert sich dagegen standhaft, die Anweisung auszuführen. Und dabei gehört <marquee></marquee> inzwischen zum offiziellen HTML-Standard!

3 Damit müssen Sie sich leider abfinden.

Handarbeit ist zu schwer

Huch, die Handarbeit fällt Ihnen schwer? Sie möchten Ihre Seiten lieber mit einen Programm erstellen? Zugegeben, heutzutage kann jede bessere Textverarbeitung Dokumente als HTML-Datei sichern.

Selbst der Internet Explorer bzw. der Netscape Navigator bringen einfache Layoutprogramme zur Erstellung von Webseiten mit. Doch wenn Sie sich die Arbeit wirklich erleichtern wollen, rate ich Ihnen von diesen Programmen ab!

Ihr handgeschriebener Quellcode würde beim Weiterbearbeiten in einem dieser Programme grauenhaft verstümmelt werden. Greifen Sie zu einem Tool, bei dem Sie komfortabel sowohl im Quelltext als auch im Layout arbeiten.

1 Schauen Sie sich zuerst die so genannten Layout-Editoren an. Wie in einer Textverarbeitung arbeiten Sie direkt am „Erscheinungsbild" der Seite. Hier sind vor allem die teureren Programme so ausgelegt, dass Sie sowohl in der Layoutansicht als auch direkt im Quelltext arbeiten können. Sie können bequem umschalten. Handgeschriebene Seiten lassen sich im Layout weiterbearbeiten und umgedreht.

2 Ideal also für HTML-Profis, die sich lästige Routinearbeit ersparen wollen und trotzdem über Quelltextkenntnisse verfügen. Ich empfehle Ihnen uneingeschränkt den Dreamweaver und GoLive, eingeschränkt auch FrontPage 2000! Die Finger lassen sollten Sie von den kostenlosen Tools Netscape Composer und von FrontPage Express.

3 Informieren Sie sich in der Tabelle über die Besonderheiten der drei von mir empfohlenen Programme.

Programm	Webadresse	Bemerkungen
FrontPage	In der Version Office 2000 Premium enthalten, siehe www.microsoft.com, kostet einzeln ca. 350 DM	Profiprogramm mit unzähligen Funktionen, Rollover- und DHTML-Effekten, Image Map-Editor, gute Rechtschreibkontrolle, kennt leider keine Umlautkodierung, fügt außerdem Tags ein, die nur der Microsoft-Browser interpretieren kann, empfehlenswert erst ab FrontPage 2000, eigene Programmphilosophie mit „FrontPage-Web“, viele Effekte werden erst erreicht, wenn der Dienstleister die so genannte Microsoft-FrontPage-Unterstützung installiert (hoher Aufpreis), Arbeiten sowohl im Quelltext als auch im Layout möglich.
Macromedia Dreamweaver	Infos unter *www.macromedia.com*, momentan aktuell ist die Version 3, kostet um 600 DM	Das beste HTML-Programm auf dem Markt für den PC, erzeugt Rollover- und DHTML-Effekte, Image Map-Editor, lässt Ihren Quelltext absolut in Ruhe, wird mit Homesite ausgeliefert, Arbeiten sowohl im Quelltext als auch im Layout möglich.
Adobe GoLive	siehe *www.golive.com*, kostet um 700 DM	Ebenbürtig mit dem Dreamweaver, sowohl für den Apple Macintosh als auch für den PC erhältlich, sehr teuer, Arbeiten sowohl im Quelltext als auch im Layout möglich. Die derzeitige Version heißt 5. Von mir ist bei DATA BECKER die *SchnellAnleitung GoLive 4 und 5* erschienen.

4 Ebenfalls beliebt vor allem bei Profi-Webdesignern sind die so genannten Quelltext-Editoren. Mit Quelltext-Editoren meine ich Programme, bei denen Sie direkt im Quelltext arbeiten. HTML-Kenntnisse sind also zwingend nötig. Die Programme unterstützen Sie jedoch beim Einfügen von Tags, Grafiken und Frames.

5 Außerdem werden Tags und Attribute unterschiedlich eingefärbt. Eine Vorschau im Browser ermöglicht Ihnen jederzeit die Kontrolle über Ihr Projekt. Ich empfehle Ihnen, mit einem dieser Programme zu arbeiten. Allerdings sind die meisten der hier besprochenen Tools englischsprachig.

PProgramm	Webadresse	Eigenschaften
Homesite	*www.allaire.com*, ca. 200 DM	Fantastisches Spitzenprogramm, erste Wahl vieler professioneller Webdesigner, inzwischen Version 4.5, Version 1.2 ist Freeware, die Freewareversion kann von der Service-Seite zu diesem Buch heruntergeladen werden.
1st Page 2000	*www.evrsoft.com/download*, kostenlos W3C.	Hervorragendes, sehr komplexes Programm, Nachbau von Homesite, enthält unzählige vorbereitete JavaScript-, DHTML- und CGI-Beispiele, vom W3C empfohlen, enthält den „HTML-Reiniger“ Tidy vom
HTML-Kit	*www.chami.com/html-kit*, kostenlos vom W3C.	Kleiner, aber feiner Freeware-HTML-Editor, vom W3C empfohlen, enthält den „HTML-Reiniger“ Tidy
Hot Metal	*www.softquad.com*, kostenpflichtig	Zeigt Tags als Symbolzeichen an, ist der Klassiker unter den HTML-Editoren, unterstützt auch (X)HTML und XML.
Uli Meybohms HTML-Editor	*www.meybohm.de*, kostenlos	Nachbau von Homesite, von einem deutschen Informatikstudenten geschrieben, sehr empfehlenswert.
Arachnophilia	*www.arachnoid.com*, kostenlos	Sehr empfehlenswertes, sympathisches Freewareprogramm, kann RTF nach HTML konvertieren.

Tipps und Tricks für gutes Webdesign

An dieser Stelle habe ich noch ein paar Vorschläge, Tipps und Anregungen, damit Ihr Auftritt im Web auch ein voller Erfolg wird. Denken Sie daran, dass nicht alle Surfer den gleichen Browser und das gleiche Betriebssystem verwenden.

Gestalten Sie die Seiten so, dass sie in allen Browsern funktionieren und gut aussehen!

1 Wen wollen Sie ansprechen? Definieren Sie genau Ihre Zielgruppe! Was haben Sie zu sagen? Bieten Sie Inhalt und Informationen statt nervtötender Effekte!

2 Wie sollen die Informationen aufbereitet werden? Machen Sie sich zu Layout und Gestaltung besonders viele Gedanken! Denken Sie an die Bildschirmauflösung, als Standard kann 800 x 600 gelten. Denken Sie aber auch an Benutzer kleinerer Bildschirme mit 640 x 480 Pixeln Auflösung! Out sind Seiten, die Betrachter anderer Browser ausschließen oder zu hohe Bildschirmauflösungen voraussetzen.

3 Wie lang ist die Ladezeit? Optimieren Sie Grafiken! Verzichten Sie außerdem auf exotische Formate, die Plug-Ins benötigen! Besonders störend sind Seiten, die nur mit diesen Formaten arbeiten, aber keine Alternativen bieten. Wenn sich der Betrachter erst zeitraubend ein Plug-In herunterladen muss, surft er am besten gleich weiter.

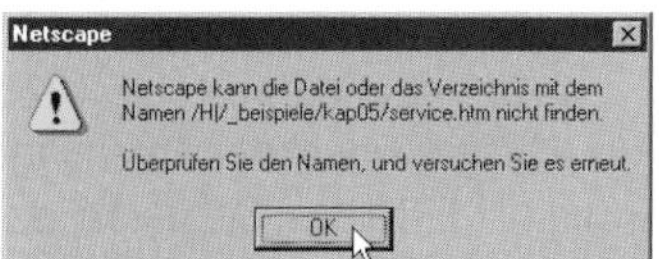

4 Gehen Sie weiterhin sparsam um mit Hintergrundgrafiken und Soundeffekten.

5 Wie gut funktioniert die Navigation? Lassen Sie Ihre Freunde und Bekannten probieren und schauen Sie ihnen dabei über die Schulter!

6 Wie aktuell ist Ihre Site? Denken Sie an Aktualisierungen und Pflege!

7 Funktioniert die Site auch mit älteren Browsern und anderen Browsertypen? Testen Sie es aus!

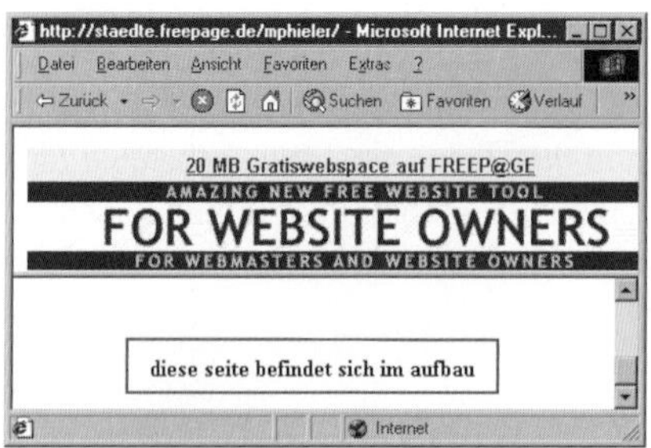

8 Verzichten Sie auf Angaben wie „Im Bau", oder „Under Construction". Wenn Ihre Seite nicht fertig ist, sollten Sie sie auch nicht veröffentlichen. Oder könnten Sie sich Ihre Tageszei-

tung mit leeren Seiten vorstellen, auf denen groß geschrieben steht: Im Druck?

9 Verzichten Sie außerdem auf Unterstreichungen, denn diese sind für Hyperlinks reserviert. Leider sieht man viel zu oft Seiten mit unterstrichenen Textstellen. Doch wenn ich versuche, dort zu klicken ... passiert nichts! Das nervt!

Info

Grafik und Design dem Profi überlassen

Sie sind eine kleine oder große Firma und denken über Ihren Webautritt nach? Ihre gestalterischen Fähigkeiten sind nicht unbedingt Oscar-verdächtig? Dann sollten Sie sich durchaus überlegen, eine Agentur oder einen Grafiker hinzuzuziehen. Leider sieht man gerade von mittelständischen Firmen viel zu viele schlecht gemachte Seiten. Wie wäre es mit einem Kompromiss? Der Grafiker gestaltet und schlägt vor, und Sie setzen das Ganze HTML-technisch um! Für Ihre privaten Seiten müssen Sie diesen Aufwand natürlich nicht betreiben. Die liebevoll gestaltete private Bildergalerie, der umfangreiche Famlienstammbaum oder die Fotos von Dackel Paul haben auf jeden Fall ihre Berechtigung im Web!

Zum guten Schluss

Sie haben eine Frage oder ein Problem? Surfen Sie zu www.jchanke.de/fix.html.

Dort finden Sie weiterführende Querverweise und ein Feedback-Formular. Gern beantworte ich auch Ihre Fragen.

Bleiben Sie gesund und denken Sie daran: Es gibt wichtigere Dinge im Leben als Computer!

Viel Spaß bei der Beschäftigung mit HTML und der Erstellung der eigenen Homepage wünscht Ihr

Johann-Christian Hanke

Stichwortverzeichnis

G

H

X

Z

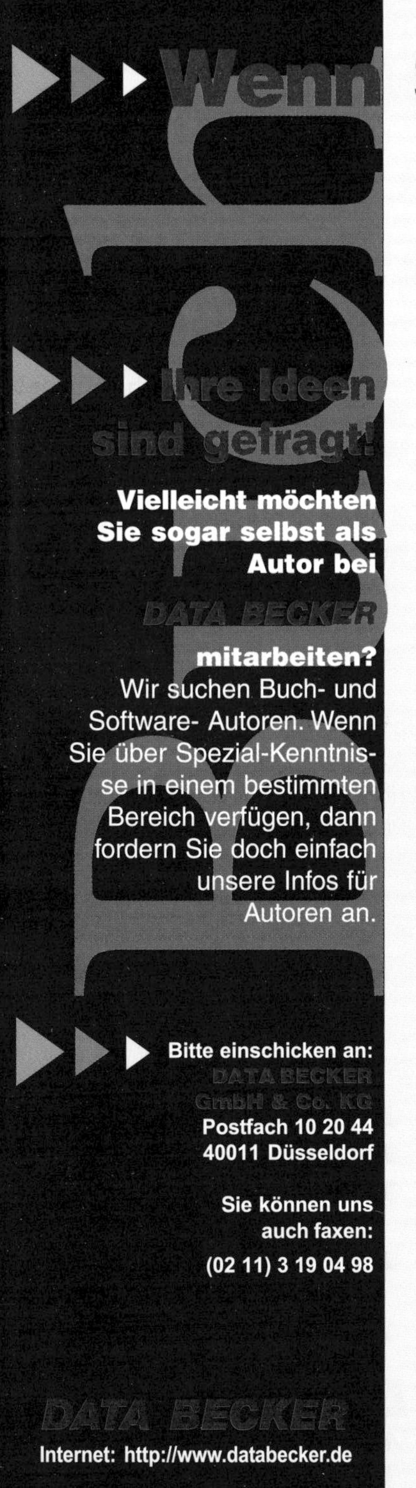

Sie an dieser Seite angelangt sind ...

dann haben Sie sicher schon auf den vorangegangenen Seiten gestöbert oder sogar das ganze Buch gelesen. Und Sie können nun sagen, wie Ihnen dieses Buch gefallen hat. Ihre Meinung interessiert uns!

Uns interessiert, ob Sie jede Menge „Aha-Erlebnisse" hatten, ob es vielleicht etwas gab, bei dem das Buch Ihnen nicht weiterhelfen konnte, oder ob Sie einfach rundherum zufrieden waren (was wir natürlich hoffen). Wie auch immer – schreiben Sie uns! Wir freuen uns über Ihre Post, über Ihr Lob genauso wie über Ihre Kritik! Ihre Anregungen helfen uns, die nächsten Titel noch praxisnäher zu gestalten.

Was mir an diesem Buch gefällt: ______________________

____

____

Das sollten Sie unbedingt ändern: ______________________

____

Kommentar zur SchnellAnleitung: ______________________

____

442 110

____

☐ Ja Ich möchte DATA BECKER Autor werden. Bitte schicken Sie mir die Infos für Autoren.

☐ Ja Bitte schicken Sie mir Informationen zu Ihren Neuerscheinungen

Name, Vorname ______________________

Straße ______________________

PLZ, Ort ______________________